Epistolario

EMILIO BACARDÍ MOREAU

De Cuba a Chafarinas
El denunciante de Pintó
Epistolario

Obras completas de E. B. M.
reeditadas por Amalia Bacardí Cape

MADRID
1973

868.6
B12c
141817
Jue 1987

PLAYOR, Mar Menor, 16 - Madrid-33

PARTE I

De Cuba a Chafarinas

DE CUBA A CHAFARINAS

CAPITULO I

29 de octubre de 1896.

Por fin ¡a la mar! «*Sea cual fuere nuestra suerte, de flores hemos sembrado siempre nuestro camino, y que todo el bien que hemos hecho lo puedan recoger nuestros hijos*»: Así me escribiste en esa triste noche; como último adiós, condensaste tus sentimientos y, con una flor, me enviaste lo que ha sido y es para mí tu cariño y el de nuestros hijos.

A las diez y media de la noche, montado en un coche, entre el Jefe de policía Trujillo Monagas y otro, fui conducido al muelle. Había poca gente en la calle y las casas parecían correr a los lados del coche. ¡Después de cinco meses de encierro todo me parecía raro! Un círculo de policía me rodeó en el muelle, entré en el bote, dos guardias civiles llegaron con otro preso, y al poco rato subimos la escala del vapor «Villaverde», y allí, tirado sobre la escotilla de proa, sin rumor que interrumpiera aquella noche eterna, esperé ansioso el día. ¡A las seis de la mañana, envuelto aún Santiago por la neblina, despedíame de él, y miraba cómo iba el sol ascendiendo, cómo el vapor me alejaba de mi tierra, y buscaba ansioso, al pasar frente a Cayo Smith, a mi pequeña Marina, a quien sabía enferma y a quien hubiera querido siquiera poder distinguir.

El baldeo me obligó a dejar el lugar donde había pasado la noche, y donde volví a tirarme, tan pronto comenzó el vapor a dar cabezadas fuera ya del Morro. Apretaba la cabeza entre los brazos, cerrados los ojos, ya encogiéndome o ya estirándome, pasé todo el día, sin alimento alguno, hasta llegar a Gibara.

Allí se nos incorporaron seis prisioneros de guerra, procedentes de Holguín, condenados a cadena perpétua. Fueron esposados de dos en dos y colocados junto a mí y a «José» Moyrán que me acompañaba desde Cuba.

El baldeo del buque volvió a molestarme de nuevo, obligándome a dejar aquella escotilla, cama, mesa y asiento, lugar el más apropósito para tratar de escapar de los malos olores de toda bodega, y más de una bodega de proa, y sobre todo para aquél que se marea. Había necesidad de tomar algo; la gente de Holguín no podía moverse y quedó convenido que Moyrán iría a la cocina por el alimento, y yo me encargué de repartirlo, puesto que por las esposas, sólo podían hacer uso de un brazo. ¡Qué café! ¡Cómo recordaba el de Georgina! Me fue imposible tomar un trago siquiera, y hube de contentarme con enjuagarme la boca con él! ¡Ni para eso era útil!

¡Qué cuatro días! Diéronnos para cada uno un jarrito de lata viejo, cansado de servir; un plato de lata, y una cuchara de lata.

Sin agua para lavarnos cara y manos; sin agua para lavar los utensilios. En una lata grande traía la comida Moyrán —comida la que come el marinero y que era la que nos

correspondía como pasajeros de proa— yo llenaba el plato
a proporción a cada uno y trataba de comer mi parte después ¡y comía! ¡A tanto obliga la necesidad del cuerpo!

Tirado junto a los demás, sudorosos, sucio aquello, res-
pirando ambiente fétido, sin más paño de manos ni toalla
que mi pañuelo, ¡con él limpiaba mi cuchara, mi plato, mis
manos y mi cara!

El asco a mí mismo quedó modificado por la suciedad
misma, y se comprende, después de habitar en el lodo, el
que al cerdo le satisfaga el lodo. ¡No es posible pintar las
angustias de ese viaje y obligado a tomar agua caliginosa,
y obligado a permanecer sobre una cubierta, siempre estor-
bando y siempre echados de un lado para otro!

La bestia humana siempre vejando al débil: los que tenían algún mando tratándonos con indiferencia o con des-
precio, el marinero —la víctima de la sociedad— teniéndo-
nos consideraciones y hablándonos con cariño.

El mar mugía batiéndose contra el buque cuya proa
triunfante iba abriendo su senda; ya tocamos a Occidente.
Las montañas se destacan claramente; la luna nos alumbra-
ba a ratos rasgando de vez en cuando las nubes que quieren
envolverla, y el poco balance me permitía conversar con el
cabo de la Guardia Civil desde la borda del buque y a poco
me dijo, señalando al horizonte: —Aquello es fuego.— Será
algún bohío. —No, pues va en aumento.— Y en efecto, a lo
lejos, tras un instante, de un punto luminoso mostróse una
faja rojiza en el cielo, adquirió mayor extensión, y apareció
ante nuestra vista una gran comarca purificándose de las
iniquidades de cuatrocientos años!

¡Cuán bellas se destacaban las montañas teniendo por
base un mar ora oscuro ora blanquecino, según la luz de
la luna rielase, sobre las olas plateándolas o les robara cla-

ridad ocultándose tras las nubes! Recostado en la borda del «Villaverde» tenía junto a mí a los empleados inferiores de a bordo riendo y conversando y proyectando rumbas para el día siguiente en la Habana, uno de los guardias civiles escuchaba las peripecias de los confinados de Holguín, y unos cuantos soldados, embarcados en Nuevitas, charlaban de las vicisitudes sin cuento, compañeras inseparables de tan desastrosa campaña; y mi imaginación volando a los míos, uníase con ellos en espíritu, comunicaba mi alma con su alma, y escuchaba la voz de mis hijos acariciándome como de costumbre en mi hogar y pensaba en el mañana... y en el mañana del siguiente día en que había de pisar tierra de la Habana.

Apenas la luz del día alumbró los espacios, el «Villaverde» dirigióse al puerto, y la Habana se nos asomó como saliendo del mar.

A la izquierda, el Morro, en lo alto; los restos del «Sánchez Barcáiztegui» en los bajos; mas luego la Cabaña y Regla, y a la derecha la Punta, la Cortina de Valdés y los muelles y la Machina, y dominando en conjunto a estos, edificios y miradores y torres de iglesias: ¡por fin, mi primera etapa!

Busqué con la vista algún conocido en los botes que rodeaban al vapor, y vi a Pepe que andaba buscándome con la vista; le hice señas y no me vio: no se permitía subir a bordo y tuvo que contentarse con dar vueltas y más vueltas siempre en mi busca. Pero, lo que él no había logrado lo habían alcanzado algunos de los miserables tripulantes de las lanchas y canoas, y apenas nos vieron a mí y demás presos, con toda la rabia y todo el odio al vencido, nos gritaron: —«Al agua, hijos de... mala madre: un lingote al pescuezo y al agua».— Y un viejo, ya al bajar por la escala y al embarcar en el remolcador que nos llevaría a tierra, gritando co-

mo un energúmeno, nos dijo con voz cascada amenazándo-
nos con la mano: «Machete, machete... a esos canallas» y la
injuria iba envuelta en las palabras más soeces. ¡Ya estamos
en tierra!

II

Mirados y contemplados como cosa curiosa, yo detrás de
todos, junto al cabo de la Guardia Civil, fuimos pasando
por las calles llenas de lodo, por haber llovido aquella noche, hasta llegar a la Casa de Gobierno, en la Plaza de Armas. ¡Cuánta curiosidad para vernos, y cuánta mala inten-
ción en aquellos ojos que si se apartaban de nosotros era
para ir en busca de otros que nos contemplasen a su vez!

Así pasamos dos horas largas de pie junto a una pared.
Llegó la orden de echar a andar de nuevo, y había que atra-
vesar casi toda la Habana, para llegar a la Punta, donde em-
barcaríamos para llevar al Morro a los seis confinados procedentes de Holguín.

Recorrido el trayecto, pero, marchando por calles de casi
ningún establecimiento, nos ahorramos, si no las miradas
curiosas, a lo menos los silbidos y los insultos. Nueva para-
da hubo que hacer en la Punta: había que aguardar el turno
de las canoas encargadas de ese transporte.

Conversaba conmigo el cabo y decíame en confianza, pensando que lo ignorasen, que los seis confinados iban destinados a Ceuta a cadena perpetua, cuando acercándosenos un individuo de mal talante, tipo de espía, queriendo escuchar lo que se me refería, fue violentamente rechazado por el cabo de la Guardia Civil, con una interjección más un empujón, y un «largo, granuja, canalla, ¿qué viene usted a escuchar?» —y a una excusa mal balbuceada:— «Largo, lejos de aquí, que de no, se lo haré sentir de otra manera».

Y volviéndose a mí añadió: «Ha visto usted ese miserable como venía a escuchar lo que yo le decía a usted».

Y entonces me agregó: —«Cuando yo vuelva a Cuba tendré quizás una bronca con ese Señor Jefe de Policía de allá; ¿pués no quería ese buen señor que yo firmase el recibo de usted en la cárcel y que él me entregaría a usted a bordo»? ¿Qué interés, o que intenciones, tenía ese señor? «Entréguemelo usted aquí y yo le firmo el recibo inmediatamente; la Guardia Civil no puede hacerse cargo sino del preso recibido, usted me lo entregará a bordo y a bordo le daré el recibo, esto marca la ordenanza y esto sólo cumpliré; siga usted para abordo que juntos hemos de llegar» —y prosiguió en son de comentario.— ¿Qué se figuraría ese señor o qué intenciones traería? —Púseme a pensar en este incidente desconocido hasta entonces para mí y diome mucho que cavilar. ¿Habíase querido eliminarme, y de ahí la salida en hora tan intempestiva (las once de la noche) para ser conducido a un vapor que salía al día siguiente a las seis de la mañana, y hacer responsable de la catástrofe preparada a la Guardia Civil, que hubiera aparecido como hechora, sin justificación posible, puesto que el recibo, resguardo en poder del Jefe de Policía, la hubiera obligado a callar? ¡Dios lo sabe!

En la cuesta que conduce al Morro de la Habana me despedí de los que marchaban para Ceuta, y agradecidos por los pequeños servicios del viaje, me estrecharon la mano verdaderamente conmovidos. José Moyrán y yo nos sentamos a la puerta del castillo; en aquel momento se celebraba consejo de guerra contra López Coloma, y oí decir a uno de los tantos que entraban y salían:

«Acabo de oir que el presidente del consejo ha dicho: «vengo para hacer fusilar a ese, no hay que pensar en otra cosa con ese bandido». ¡Condenado antes de ser juzgado!

¡Y tal como se quiso se hizo: estando yo en Cádiz, anunció el cable el fusilamiento de López Coloma!

Vuelta a descender la cuesta y hétome camino del Gobierno Civil, plaza de San Juan de Dios: una hora después me hallaba en la puerta de la cárcel, se me afiliaba, y ocupaba una habitación en los que se llaman «salones». ¡Descansaba!

Aquello era para mí un nuevo mundo. Completamente desconocido de todos y desconociéndolos a mi vez me encontraba, sin previa presentación, haciendo vida común con individuos que hacía poco más o menos una hora no sabíamos mutuamente que existíamos los unos ni los otros. Si juzgué prudente ser reservado, si pensé que en ese lugar debía callar y ocultar sentimientos e ideas, cuán pronto quedaron desvanecidas esas naturales desconfianzas. Las preguntas lloviéronme de todas partes. ¡Oh, tierra de Cuba! De dónde venía, a dónde iba, ¡era oriental! ¡Cuánta cariñosa deferencia! Ofrecimientos sinceros y facilidades para hacérseme menos penosa y hasta agradable —si puede ser agradable una cárcel— mi estancia en ese lugar. Aquellos desconocidos de ayer no fueron amigos conquistados en un día, fueron hermanos que recibían al hermano. ¡Occidente encarcelado tendiendo los brazos a Oriente proscrito!

Hacía cinco meses que el sol no había calentado mi cuerpo y cinco meses hacía que el cielo no me había cobijado.
La noche del quinto día de mi salida de Santiago de Cuba
era una noche verdaderamente espléndida; la luna hacía pa-
lidecer las estrellas que con el movimiento de su luz parecían ojos guiñándonos desde lo alto. Bajo una enramadita
del patio de la cárcel quedéme largo rato contemplando las
constelaciones, a las cuales encontraba mucho más bellas
después de tantos días sin cielo. Aquéllas en las cuales fija-
ba mis ojos eran las mismas que enviaban su luz a mis hijos.
Escorpión se inclinaba un poco más hacia al Sur; desde mi
casa la hubiera visto francamente al Sur. Ensimismado en
ideas que me llevaron lejos de ese lugar, olvidéme por un
momento de donde me encontraba. Voces amigas trajéron-
me a la realidad, brindándome un balance; un grupo formado por Lainé, Granado, Frade, Remis, Balado y otros obli-
góme a no rehusar el ofrecimiento, y sobre todo, cuando,
con sonrisa en todos los labios, se me dijo: «Nuestro Club
lo considera a usted digno no sólo de formar parte de él,
sino que le nombra su presidente.» ¡Cuánta charla, cuántas
esperanzas, cuánta fe! ¡Cuánta íntima convicción de pronto
y seguro triunfo! Y tras largo disertar sobre planes, proyectos y combinaciones, una flauta un violín y una bandurria
unieron sus notas concertando una pequeña orquesta, y uno
cantó: «No hay otro dueño» —«de mi pasión».

Canto triste, canción de amor que trajo a mi alma dulces
remembranzas y entretuvo mi imaginación toda la noche lle-
vándome junto a mi familia siquiera en sueño.

Las seis de la mañana me encontró de pie al día siguiente. Habitaba en mi mismo dormitorio un anciano de seten-
ta y seis años, comandante de voluntarios, con siete cruces,
sostenedor de un escuadrón de caballería desde veinte años

atrás, encarcelado hacía cuatro meses por haber sido abra-
zado por el cabecilla Varona. ¡Qué espíritu de *justicia* y de
concordia en el Gobierno! ¡Cómo *premia* a sus fieles servidores!

Tengo otro compañero original ¡un pobre loco! Vive
acostado: si se le dice que se levante, ¡se levanta!, si se le
dice que se acueste, se acuesta. La barba le da rostro de
Cristo. Se le mira y no nos ve: nadie le dirige la palabra:
sería inútil. ¿Qué drama le arrastró a ese estado? Recién
casado, llegó a su casa, disparó tres tiros a su mujer, a la
que no hirió, y se disparó uno, no logrando morir: después
de curado, enloqueció. Un misterio se cierne en esa tragedia:
la mujer le visita diariamente, y él conversa indiferente, y
cuando se marcha ella, él se retira inmutable. Acostado boca
arriba, impresiona aquella cara cubierta de honda tristeza.
Sus párpados enrojecidos se mueven constantemente, mientras él, inmóvil, fija su mirada sin expresión, en el espacio,
como buscando una idea que se le escapa. A veces me he fi-
gurado, o he querido ver, una lágrima asomada a esos ojos
sin vida; quizás verdaderamente en las pestañas se ha dete-
nido alguna vez esa gota de rocío del sentimiento, pero, sin
atreverse a caer, se ha evaporado de vergüenza o de dolor;
a nuestro lado es una estatua, a la cual mueve el criado según le place o le conviene: su lugar es el hospital, pero, la
ley, ¡oh! la ley, como es criminal, y aún no ha sido juzgado,
le señala el lugar que corresponde a los criminales: la cárcel.

Día veintisiete: se me avisa que el día treinta saldré
rumbo a España, con destino a Chafarinas.

¡La cárcel de la Habana! Entre esas paredes, bajo esas
galerías desarrollóse el espantoso drama de los estudiantes
en 1871. ¡Cuánta inútil crueldad, cuánta ignominia en la de-
bilidad de los gobernantes! He visto y palpado la rejilla in-

crustada en la pared, por donde aquellos niños confiaron a un sacerdote sus más íntimos sentimientos e hicieron encargos sacratísimos. He tocado las paredes que presenciaron la arrogancia de los que, con la sonrisa en los labios, rechazaban la iniquidad, preparándose serenos para marchar orgullosos al honroso patíbulo. Mis pies hollaron las losas que ellos santificaron con haberlas pisado; y mi espíritu respiró una atmósfera que me parecía aún impregnada de aquellos niños héroes que vivirán eternamente. Los vi surgir en aquel calabozo, sentirles a mi lado, conmigo se sonrieron y reconstruyéronme aquella escena de desolación para todos menos para las víctimas y los verdugos. «Allí —me decían—, a la puerta de entrada» asomaban y nos insultaban y amenazaban anunciándonos nuestro próximo fin, y quien más, quien menos, se placían en torturarnos».

Y comprendía el rugir de aquellas fieras, ahítas de sangre e incansables, sin embargo, gozosas de poder rasgar el corazón de aquellas madres, más mártires que la Madre de Gólgota; y miraba cómo, fulgurantes de patriotismo, manteníanse enhiestas aquellas juveniles cabezas que, dentro de poco, rodeadas por una aureola de gloria purísima, habían de besar inaminadas la tierra; y la tempestad creció en impotente rabia tanto más implacable cuanto más tranquilos estaban los que iban a morir, mirando casi con alegría aquellos rostros de feroces verdugos alcoholizados, que habían de llevar eternamente en la faz el estigma que les imprimió Federico Capdevila: Capdevila, el único que supo desafiar la turba sanguinaria, lanzándole el grito de indignación que no supieron comprender ni sentir: —¡Miserables, no asesinéis a estos niños!

—Mañana —me decía Lainé— cuando Cuba victoriosa tenga enarbolado su pabellón sobre las almenas del Morro, convertiremos esta cárcel en Universidad, en memoria de los Estudiantes. —Y este calabozo —agregaba yo— tal como está, con una reja en la puerta, permitirá que constantemente se le vea convertido en un santuario, donde las lápidas, los bustos y las coronas recordarán aquel cruento sacrificio y anualmente se celebrará el aniversario, cubriendo de flores el recinto, doblemente santo, por los mártires que lo habitaron y por las lágrimas de tanta madre desolada— ¡Plegue a Dios que este culto rendido a estos mártires de Cuba sea muy pronto y que sea también el que marque esta etapa de nuestras libertades!

El día 30, a la una de la tarde, se me llamó: era la hora de marchar.

En mis *peregrinaciones* había yo conocido el calabozo con sus inmundicias; la sentina, el sollado, tapiado con un solo agujero para respirar, semiasfixiado, viviendo entre los excrementos de 70 individuos, durante dieciseis días, sin ver cielo ni mar; durante cinco sufrí la presión de la barra al pie, faltábanme la cuerda y las esposas: la Habana daríame lo primero, Málaga lo segundo.

Ocho éramos los que de la cárcel marchábamos para Chafarinas: cinco policías del batallón de Orden Público nos aguardaban. Despedíme de los cariñosos amigos en cuyo seno había hallado amor de hermanos, y fuíme a colocar junto a José Moyrán, para seguir unidos, puesto que unidos veníamos desde Cuba.

Aunque esperaba y deseaba el ser atado, ansioso de conocer esa impresión, desconocida aún, el rubor cubrió mi cara al sentir la cuerda. El Orden Público número 695 comenzó a atarme brazo a brazo con Moyrán, y con tal saña que se me hincharon las venas de la mano izquierda. —«Mire usted cómo tengo la mano, afloje un poco»— y el malva-

2

do dió nueva vuelta y apretó más impidiéndome hasta el movimiento de los dedos. Una ráfaga de cólera se apoderó de mí y le dije: —«Su obligación de usted es asegurarme, pero no el hacerme daño, y esto es maldad— y como no contestase y continuaba en su obra, le agregué: —«Y es usted muy bestia».— Había algo de sonrisa en sus labios, pero nada replicó.

Por fortuna se había equivocado al atarme con Moyrán; yo debía ir con un viejo campesino de Pinar, y fue esto una suerte, pues tuvo que desatarme: aunque puse cuidado en encoger el brazo al volver a ser atado, la presión fue tal que, hasta después de desembarcado en Cádiz, al tacto dolíame el antebrazo.

Echamos a andar llevando detrás, cada dos, un soldado de Orden Público, cada cual con el que le había atado. Había que marchar por el centro de las calles; estaban éstas llenas de barro; resbalábamos mi viejo compañero y yo, y nos apoyábamos el uno en el otro para no caer; a cada movimiento adquirirían tensión las cuerdas apretando más y más nuestras carnes; y sentirme orgulloso al ver la gente que nos miraba, injuriados por algunos, maldecidos por otros, pero seguidos por los ojos de muchos en cuyos semblantes se leía la compasión.

Largo trecho fue aquel desde la cárcel hasta la Machina, teniendo que ir consolando y dando ánimo al viejo de Pinar, pobre viejo a quien se embarcaba sin haberle dado aviso alguno, sin despedirse de su familia y sin llevar más equipaje que el sombrero de yarey, el par de zapatos de vaqueta, la camisa y el pantalón de dril crudo que llevaba puestos. ¡Y llegaría a España en invierno!

Apenas penetramos en la casilla de Inspección, se nos hizo pasar al escritorio, donde un empleado ordenó se nos desatase, y al hacerlo el Orden Público número 695 le volví a decir en alta voz: «Le repito lo que ya le he dicho; para asegurarme no tenía usted necesidad de haber apretado así; esto es maldad; es usted un hombre malo y una bestia». Y era para mí un placer el lanzarle a la cara este epíteto, que le hizo sonrojar, al ver que todos fijaban la vista en nosotros desaprobando su conducta.

Al entrar en la casilla, rompiendo por entre la muchedumbre, se me acercó Magín Casas, comerciante catalán, avecindado en la Habana; rojo de vergüenza al verme así, estrechó mi mano y me dijo: —«¡Emilio!, ¿quieres algo?, ¿necesitas algo? Pide lo que quieras». Nada necesitaba yo en aquel momento, pero me acordé del viejo desvalido y le respondí: —«Traéme una frazada»—A poco rato entregaba a mi compañero algo con que cubrir su cuerpo en tanto no hubiese otra cosa.

Descendimos al remolcador, pitó la máquina, batió la hélice las aguas, nos apartamos del muelle, descubríme saludando a la multitud que invadía el muelle y donde veía alguna cara amiga; las cabezas se descubrieron silenciosas, y la Habana fue quedando tras nosotros como un campo de blancos túmulos a los cuales va tragando la mar.

III

Ya anda el vapor «Buenos-Aires»; el mareo comienza y se acentúa con el balanceo de este buque que es horroroso. Pago la diferencia de pasaje y me señalan el camarote número cien, en compañía del respetable señor, hoy mi amigo, Juan O. Naghten. En ese lugar se me indica que no podemos salir del camarote y que un centinela en los pasillos está encargado de nuestra vigilancia.

Al llegar a puerto seremos encerrados en el camarote, en tanto permanezcamos a bordo.

¡Cuántas molestias cuánto disgusto, cuánto sufrimiento para aquel que se marea, el estar encerrado en estrecho camarote! El «Buenos Aires» marcha lentamente; vientos de proa le combaten y sus balances son terribles; y después de dejar a Puerto Rico el día tres, hasta el quince no llegamos a Cádiz.

¡Cuánta bondad la de mi nuevo amigo y cómo endulzamos nuestro cautiverio contándonos nuestros infortunios, y hablando de nuestras familias y de nuestra tierra!

Habíamos llegado a Cádiz a las siete de la mañana y no desembarcamos sino a las tres de la tarde. Juan O. Naghten, como militar retirado, fue conducido a un cuartel. Eran vecinos nuestros, en otro camarote, el médico de la Habana, Montalvo y el periodista Escobar. Estos habían conferenciado con el capitán del vapor para que autorizase su ida a tierra, en un remolcador, aparte de los doscientos embarcados en el mismo vapor, bajo el pretexto de ser *ñáñigos;* presentóseme el capitán en compañía de un señor. Mac Pherson, hijo de Cádiz aunque de apellido extranjero, quien me dijo:—«Sus compañeros quieren bajar a tierra aparte de los demás presos; yo tengo un remolcador y los llevo de balde; pero, he convenido con sus compañeros en que cada uno me de diez duros, dinero que destino para una suscripción que el periódico «El Imparcial», de Madrid, tiene abierta para los soldados enfermos y heridos que llegan de Cuba; usted dirá». «Ya que ellos están conformes, aunque me parece excesivo, acepto, puesto que el dinero es para los que sufren; estoy siempre dispuesto para el bien, sea para quien sea».—Y le entregué dos monedas de oro, agregándole:—«No creo que pueda usted conseguir esto, pues la Guardia Civil no lo consentirá».—A poco rato volvió a presentarse el señor Mac Pherson y devolviéndome el dinero me dijo:—«El oficial de la Guardia Civil me ha dicho que no puede ser; he logrado, sin embargo, el que no vayan ustedes atados».—Le dí las gracias, y entregándole una de las monedas que me había devuelto le agregué:—«Tenga la bondad de aceptar esta moneda para los enfermos y heridos; cuando se la dí no era para un servicio, que me era indiferente, sino para una caridad».—«Muchas gracias por su donativo; se publicará su óbolo». —Al quedar solo, me estrecho la mano el amigo O. Naghten diciéndome:—¡Bien!

A poco atravesábamos la cubierta del «Buenos Aires», bajábamos la escala y entrábamos en el remolcador que se llevaba del «Buenos Aires» los enfermos y heridos; al desatracar nos saludaron con una salva de silbidos y una grita de—¡Al agua! ¡De cabeza al agua!—Este fue el saludo con que Cádiz nos recibió!

Al atracar al muelle se nos presentó el señor Mac Pherson y nos dijo:—«¿Me dan ustedes su palabra de honor, y vamos juntos, solos, en coche?»—Contestámosle que sí, teniendo yo que seguir la corriente de mis dos compañeros, y tomando un coche nos dirigimos a la cárcel.

Verdaderamente que me pesó aquella determinación, pues por haber tenido que aceptar aquel ofrecimiento, no pude asistir y formar parte de la marcha triunfal de aquella cuerda de cubanos. Los silbidos, los insultos, las amenazas, la grita del populacho gaditano apiñado en alas a ambos lados de la calle: su cólera más o menos fingida, abalanzándose para pegar a los que marchaban atados; la Guardia Civil y los marineros armados, custodios de los presos, y rechazando la agresión, y las autoridades conteniendo a la multitud hicieron de aquello un espectáculo que rara vez se vuelve a presenciar.

Por fin, ya estamos en la cárcel, aquella cárcel que yo había pisado en el año de 1876. Allí se pasan los días y me repongo del viaje.

¡Oh, qué cárceles! ¡Cuánta miseria, cuánta podredumbre y cuánto abandono por los que mandan! Cerca de la habitación que ocupo hay un calabozo, en ella una argolla, un pedazo de cadena de tres cuartas de largo, y a esa cadena, según anotación escrita en la pared, estuvo atado un preso desde el cuatro de julio al primero de septiembre, y después de las fechas que cito, ha escrito él mismo esta elocuentísima frase:—¡Cuánto sufro!

En un calabozo igual—*el Solitario*—está encerrado un niño. Me paseaba por las vueltas de un corredor para desentumecerme las piernas y oía, con voz un tanto desfallecida:
—¡Agua, un poco de agua!—A la insistencia fui a ver quién así lo pedía, y por una abertura en la puerta del calabozo

estaba asomada una cara de niño desgreñado, mugriento,
cubierto el pecho por un chaleco—.¿Qué tienes?, ¿qué quieres?—Señorito, me muero de sed y no me quieren dar agua.

Pasó en aquel instante un preso y me dijo:—«Es un granuja un pillín; no le haga usted caso».—«¿Por qué estás en la
cárcel?—Señorito mi *pae* y mi *mae* me han *echao*, que vaya
a *trabajá;* tenía hambre y cogí una naranja y me metieron
en la cárcel; después me llevaron al asilo, allí *encerrao, y
resa y resa too el día* y me escapé, y como tenía hambre robé
una *granáa* y aquí me han *metío* otra *vé.* Aquí *too* el mundo
abusa y soy el *criao* y me pegan y me cansé; me pegaron,
pegué y me han *encerrao, y desde ayer* no me han traído ni
comía ni agua. Contemplé la carita aquella de verdadero
pillín, cara de mono, tan abandonado por la familia y la sociedad; lo ví creciendo hasta esa edad, doce años, sin el
juego del hermanito, sin el consejo del padre, sin el beso de
su desnaturalizada madre; recordé que la víspera un señor
canónigo, rollizo, rebosando de salud, decía palabras de caridad en el patio—¡palabras, palabras!—El ruido de los co-
ches llegaba hasta mí yendo al paseo y cruzando por delante de la cárcel; pensé que los magistrados de la Audiencia,
cada quince días visitaban el establecimiento inquiriendo lo
que les parecía; sentí todo el horror del porvenir sobre aquella pequeña bestia humana que se estaba cultivando para el
presidio o el patíbulo, y experimenté dolor contra el mundo,
tan injusto y tan cruel, y cólera contra la sociedad entera.

Fuime a mi habitación, trájele un vaso de agua, una man-
zana, pan y mantequilla que tenía, y dándoselo le dije con
vehemencia:—¡Cuando salgas de aquí, coge un cuchillo y
mata, para que te maten!

Aquí como en Cuba, es práctica que un sacerdote predi-
que una vez por semana.

¡Cuán inútil palabrería! ¡Caridad en la forma, abandono y egoismo en el fondo! ¡Pobre Dios!

El día siete salgo con Luis Sentenat, con destino a Málaga, custodiados por dos guardias civiles, y llegamos el mismo día: no podemos quejarnos de los guardias. Durante mi permanencia en Cádiz, la familia de mi buen amigo, ya difunto, Mateo Rodríguez Sánchez, me visitó diariamente.

En Málaga, al dirigirme hacia la galera a que se me destina, oigo una voz que me dice:—«¿Emilio Bacardí?—Me inclino hacia donde sale la voz, tiendo la mano, me la estrechan y me dicen: «Alfredo Zayas». Y al día siguiente nos hayamos reunidos Lanuza, Zayas, Lama, Sáez, Ferrer y Díaz, que son trasladados de Chafarinas a Ceuta. La amistad más sincera nos une hoy con esos amigos con quienes viví en la mayor intimidad durante veintiún días que pasé allí. Allí durmiendo sobre el suelo, junto a seres degradados, comiendo con los dedos, empuercado, junto a letrina pestilente y teniendo que sufrir el —¡Fuera gorra!— de un jefe de galera —preso por robo— al pasar lista cada mañana y cada tarde.

Una ocurrencia: se efectúa un matrimonio en la capilla de la cárcel, ¡un preso con una mujer en libertad...!

El día veinte se celebra en la capilla una misa de aguinaldo, y al mediodía, el sacerdote de la cárcel viene a festejar la llegada de la Navidad.

En una cárcel, para el preso, todo lo que es variar reviste carácter de novedad, y aprovechando esa función fuíme a sentar en la capilla.

La capilla es un cuarto con pretensiones de tener las paredes estucadas, unos cuantos cuadros de santos detestables, una cabeza bajo una urna sin cristal; a un costado un altar, y frente al altar una ventana enrejada que da al patio del establecimiento. Junto a la ventana, uno de los cuadros representa un Cristo clavado en la cruz. El tiempo lo ha cubierto todo de una mancha negra menos la figura; no se ve cruz alguna, y Cristo parece flotar entre tinieblas, manando una sangre negruzca, con su blanco cendal flotando también como él en el cielo tenebroso.

El cura toca un armonium y canta villancicos, acompañado de presos y chiquillos, al son de sonajas, panderetas y castañuelas; un preso cojo con cara de sayón azorado, bate un tambor desfondado. Un muchacho de diez años, preso, toca un pito imitando pájaros, y los pies desnudos, en invierno, están cubiertos de una capa de suciedad que parece incrustada en las carnes, mostrando los tobillos y las puntas de los dedos rojos y limpios por el roce con el suelo. Los catres de dos presos, empleados de la cárcel, están a un lado, y uno de ellos almuerza al lado del destartalado altar cuyos adornos son un malísimo retablo representando la Concepción de Murillo, y debajo de éste la efigie de un Cristo, peor todavía, que se retuerce epilépticamente en su cruz; seis macetitas con flores de papel y unos pequeños candelabros a ambos extremos; los paños del altar están recogidos, y sobre ellos el sombrero del cura y dos sombreros más; a la izquierda del altar, en el suelo, una palangana de lata, y asomando escondidos tras el altar, en el suelo también, un orinal y una lata *zambullo* de que se sirven los empleados presos que duermen en la capilla. Una niñita de unos cuatro años, hija de un preso, se admira de todo aquel ruido, y un perrito retoza y ladra debajo de los catres abiertos, en tanto que el dueño gatea bajo los catres para cogerlo. Uno de los chiquillos cantantes fuma; y el pillín preso recibe una notada por estar fumando un cabo de tabaco que ha recogido del suelo y que pertenece al músico del tambor. Con melancolía escucho los villancicos, música y canto, y miro aquellas figuras. La música y la letra me llevan a los míos, y admiro la fé cristiana y la poesía que encierran esas canciones, canto de amor con que niños perdidos llaman al Niño Dios, con la verdad del que sufre e implora, creyente de buena fe en la infancia, en tanto que los demás que dirigen la fiesta, sólo hacen cumplimentar una costumbre, por el qué dirán, y siguen un ritual con la mayor indiferencia. ¡Como el Dios Niño de hoy, hombre mañana y clavado en una cruz, seguirá clavado por toda una eternidad, por los egoismos de la humanidad miserable!

El día veinte por la noche se nos reunieron tres filipinos, amigos hoy, Paulino Zamora, Bantín y Florencio Antonio: van a Chafarinas también.

Seis días antes, por una equivocación del Gobierno Civil, Sentenat y yo fuimos conducidos al vapor *Puerto Mahón* y puestos en un cepo hasta los ocho de la noche, hora en que se nos hizo salir, se nos ató brazo con brazo. y se nos reintegró a la cárcel: el *Puerto Mahón* iba a Melilla solamente.

Las cárceles de España son una explotación. En Málaga costóme la primera noche dos pesos, aun ocupando una galera del patio, y luego unos cinco pesos más en la galera de preferencia, a donde se me trasladó: no dudo por un momento que estas expoliaciones son hechas con anuencia de jefes y empleados. Pude salvarme de otra explotación: la de dormir en cama. Dos noches dormí en el suelo sobre una frazada: el resto del tiempo sobre un colchón.

Esto respecto a los hechos tangibles que materialmente se tocan.

¡Hasta dónde no alcanzan los desórdenes y corruptelas respecto a la administración de justicia! El preso es olvidado. Hace tres meses que se encuentra allí un muchacho,

de doce años de edad, porque, en una pelotera con otro muchacho, le rompió la cabeza de una pedrada. Un pobre hombre, con cuatro hijos menores, y su mujer en el hospital,
está allí hace más de seis meses, por una pelotera, en que se
vió envuelto en una noche de borrachera. Otro hace cuatro
meses que está preso, por haber entrado en una huerta donde se hartó de higos y se echó a dormir a pierna suelta, debajo de la higuera. He presenciado la libertad de unos cuantos, olvidados hace nueve meses, por el delito de haber pa-
seado y hecho trizas una bandera norteamericana.

En resumen: estas cárceles son la inicua explotación del
más fuerte sobre el más débil; desde el jefe que ordena y
fija la galera que debe ocupar el preso, hasta el compañero
de prisión que roba al que le toca tener a su lado, y desde
el preso bastonero, que apalea, porque sí, y sin considera-
ción, al otro preso, hasta el capataz que esquilma al desgra-
ciado que se encuentra en la galera que gobierna.

Por fin, llegó el veintinueve de diciembre: a las tres
de la tarde salíamos de la cárcel de Málaga para el vapor
Sevilla, con destino a Chafarinas, esposados de dos en dos:
yo iba atado con Sentenat.

¡Hermoso espectáculo aquel! Rompían la marcha dos
Guardias Civiles a caballo; luego nosotros de dos en dos, y
a nuestros lados Guardias Civiles con la carabina al brazo
y suplicándonos:—Caminen, caminen, por Dios; no contes-
ten—y un público numeroso y amenazador de lado y lado.
Esa larga cuerda de presos fue para mí un día de gloria y
sentíame halagado por aquella marcha triunfal, a pesar de
que la cadena al puño me lastimaba. Un niño de unos diez
años, hijo de un preso, con quien conversábamos en la cárcel, nos acompañó hasta el mismo muelle, y al encontrarnos
en el camino, vino a nosotros y me besó...

Cumplíase mi peregrinación. El *Sevilla* zarpó a las cinco en punto; éramos demasiados para barras o cepos y encerráronnos en la bodega; el balance fue terrible; la atmósfera se hizo mefítica por la respiración y las verduras y las frutas depositadas en un lugar reducido, y volví a los mareos y asquerosidades del *Buenos Aires*, más sólo fue una noche.

El día treinta, finalizando 1896, pisaba por segunda vez tierra de Chafarinas; al frente Marruecos, España a un lado, perdida entre brumas; detrás, a lo lejos, Nemours argelino, y allá, en la inmensidad del Océano, cada vez más azul cuanto más se mira en los cielos, Cuba, que batalla con sus clamores y ansias de libertad, y que alumbra la tumba abierta a diario de los hijos que caen por ella, con las llamas de sus incendios, pira gigantesca que, al teñir de rojo las extremidades de las nubes que corren sobre sus campos, destaca en los espacios los colores de su bandera, caída a veces, ¡pero jamás vencida!

PARTE II

El denunciante de Pintó

EL DENUNCIANTE DE PINTO*

Santiago de Cuba, 27 marzo 1911

Sres. Directores de la Revista Bimestre Cubana.

Habana

Muy señores míos:

Unas fiebres, que ya pasaron, me han impedido dirigir a ustedes ésta, antes, para referirme a los «Apuntes para mi defensa», de D. Ramón Pintó, y darle una noticia persistente que vengo guardando en mi cerebro años hace, desde el día en que, leyendo (fue, según creo, *Las Insurrecciones de Cuba*, por Ferrer de Couto), ví que un tal *González*, presidiario, había sido el denunciante de Pintó y de la conspiración contra el General Concha.

La noticia es ésta: en 1855, era Comandante General del

---

* Aparecido en la *Revista Bimestre Cubana*, Habana (Cuba). Volumen VI, Núm. 4. Julio-agosto, 1911.

Departamento Oriental, el Brigadier o Mariscal de Campo, don Carlos de Vargas Machuca (íntimo amigo que fue del General Concha), y era Cabo de Serenos, en Santiago de Cuba, un tal González (Juan, decían), hombre muy serio, de poquísimo hablar y de una influencia tal, con Vargas, que no había favor que no alcanzase; no recuerdo bien su fisonomía, pero el tipo era de los licenciados del Ejército.

Vargas le facilitó una estancia en terrenos de la comunidad del Caney y, además, cuatro o seis emancipados (negros bozales de expediciones negreras, presa del Gobierno).

Un verano, buscando mi padre un lugar en el pueblo del Caney para huir de los calores de Cuba, le indicaron la estancia del González, no muy lejos del pueblo, y con la ventaja de río y frutas y, en efecto, sino en la misma donde vivía González, nos alquiló otra casa de su propiedad, bohío grande, situada en una loma cercana; allí nos instalamos y allí pasamos unos cuantos meses.

Un día, se presentó González a mi padre, y le dijo que venía a pedirle un favor; que tenía que pasar en Santiago unos cuantos días, sin volver a la estancia y que, aunque quedaba su familia (mujer, con quien vivía y cuñadas) en la estancia, le venía a suplicar le recibiese y guardase hasta la vuelta, una maleta de cuero, con documentos, que pertenecían al General Vargas y que él guardaba como encargo especial del General.

La maleta vino a casa, baúl de cuero inglés, usado, y recuerdo haberlo movido varias veces, sintiendo el rodar de papeles: el baúl, era de los buenos baúles, a prueba de agua, etcétera.

Ahora me pregunto: el Cabo de Serenos González, ¿no sería el denunciante de Pintó? ¿Su amistad e influencia con

Vargas (íntimo de Concha) no sería pago de la denuncia? ¿Los documentos que González guardaba serían, efectivamente de Vargas, o documentos de la causa de Pintó, en posesión de González? En fin: ¿qué misterioso lazo podían unir a un hombre ordinario, sin cultura alguna y alejado de la ciudad, aunque ejerciendo un pequeño empleo, y un Gobernador, Excelentísimo Señor, de la ciudad y departamento Oriental? ¡Quién podrá saberlo!

Vargas se fue, el hombre vino a menos, el baúl fue llevado por el Gobernador, la estancia fue vendida, y antes de la Revolución del 68, se encontraba cariacontecido y murió pobremente y... olvidado: la Revolución barrió con lo demás, así que, con algún hijo con quien quizás hubiera podido alcanzar alguna noticia, no he vuelto a encontrarme.

¡Si lo que sé hoy lo hubiera sabido antes!

Me alegraría que estas notas mías pudiesen servirles de algo, y dándoles las gracias por las benévolas frases que me dedican por mi *Vía Crucis*, me suscribo su atto. s. s.,

Emilio Bacardí

PARTE III

Hoja de servicio de Federico Pérez Carbó.

**Una vida inmaculada
Por Ramón Corona.**

Cartas de Don Federico Pérez Carbó a Don Emilio Bacardí y a Doña Elvira Cape de Bacardí.

HOJA DE SERVICIO DE FEDERICO PEREZ CARBO

Durante la guerra de 1868 y siendo empleado municipal (1870) organizó y presidió varios clubs revolucionarios para auxiliar a los patriotas en armas.

Por acuerdo de esos clubs fue comisionado en 1877 para visitar el campamento del Brigadier Leonardo Mármol, en Brazo Escondido, e informar del estado de la revolución, con posterioridad a la captura del General Calixto García y deserciones ocurridas en algunas fuerzas; comisión que realizó satisfactoriamente después de obtenida una licencia de su jefe el Contador Municipal don Francisco Baralt y Celis, por razón de enfermedad.

Su correspondencia con el citado Mármol, así como con el General Antonio Maceo, General Modesto Díaz y Coroneles Flor Crombet, José Lacret y Miguel Santa Cruz Pacheco iba firmada con el pseudónimo de Guillermo Tell.

Denunciado por el camagüeyano Manuel Betancourt, cabo de Serenos, fue perseguido y se ordenó su prisión, por lo que marchó al campo uniéndose a los revolucionarios en Cambute, en el Regimiento Guaninao de que era Jefe el Coronel Flor Crombet (1877).

La causa pasó al fiscal, Capitán Enrique Mertrán Miret, quien lo emplazó en edicto publicado en el periódico *La Bandera Española*.

Al capitular Camagüey, en febrero de 1878 y llegar a Oriente el General en Jefe Máximo Gómez, en misión de paz, obtuvo su baja en las filas y clandestinamente embarcó para Barranquilla (Colombia) en la goleta inglesa «Spring Bird», permaneciendo en el exilio hasta la completa pacificación del país; regresando entonces a Santiago por enfermedad y fallecimiento de su padre.

En 1879 ocurrió la sublevación de José Maceo y Quintín Banderas (26 de agosto) y por esa causa fue preso, encausado y deportado a Cádiz y de allí, recluido en el presidio de Chafarinas (Africa).

Trasladado más tarde a la Península se le dio por cárcel la ciudad de Sevilla, donde permaneció hasta 1883, en que logró fugarse y trasladarse a Nueva York en el transatlántico francés «Ferdinand de Lessep».

Ya en Nueva York laboró en los periódicos *Avisador Cubano, La República, El Yara, El Porvenir*, y otros, en pro de la independencia de Cuba.

De acuerdo con el General Emilio Núñez desempeñó, de incógnito, en las Villas, una comisión, relacionada con el plan Gómez-Maceo, de 1885. Fracasado ese movimiento volvió a Cuba, donde continuó sus trabajos revolucionarios hasta el Grito de Baire (1895).

Unido al General Antonio Maceo, fue nombrado por éste Jefe de Despacho del Cuartel General y en octubre ratificado como tal en la Columna Invasora a Occidente.

En enero 8 de 1896 fue herido de gravedad en el combate de Garro (Pinar del Río), quedando inútil para el servicio de las armas por parálisis.

De incógnito embargó por La Habana, en uno de los vapores de Ward, interviniendo en esta operación don Perfecto Lacoste, que lo guardó gravemente herido en su finca.

Restablecido de las heridas fue nombrado por D. Tomás Estrada Palma, segundo Jefe del Departamento de Expediciones, hasta la terminación de la guerra.

Regresó a Santiago de Cuba el día 10 de octubre de 1898.

Murió el 22 de septiembre de 1950.

UNA VIDA INMACULADA

POR
RAMON CORONA

Así como los religiosos fidelísimos encuentran, todos los días, su espacio de tiempo para loar las mercedes de Dios, los cubanos, siguiendo el consejo del ilustre repúblico, debemos «cultivar la religión del recuerdo». Nuestra historia está grávida de hechos ejemplares de tal manera que nos sirven para compensar las angustias actuales.

El heroísmo, los sacrificios, la sangre y las lágrimas de nuestros mayores enderezan nuestros pasos hacia metas de perfección. Nada se pierde, en la conciencia pública, de las lecciones dictadas por aquellos grandes maestros del desinterés y de la abnegación.

¿Dónde hallar profesores, para la guerra y para la paz, que aventajen a Céspedes y a Agramonte, en la decisión del uno y en la pureza del otro?

¿Dónde encontrar un Nabab que ofrendara su inmensa fortuna, como Aguilera, ante el altar de la Independencia?

¿Y dónde reeditar las hazañas de la Iliada, sin mencionar a Serafín Sánchez y Antonio Maceo?

La historia cubana nos mantiene en actitud vertical y cuando la fe se quebranta refugiémonos en sus páginas para recobrar los ímpetus de Palo Seco, de las Guásimas, de Peralejo y de Mal Tiempo.

Evocar a los grandes es un modo de aumentar la propia estatura.

Entre mis recuerdos de gloria se destaca el conocimiento pleno de Federico Pérez Carbó, hombre de pluma y de machete, compañero predilecto del Lugarteniente, en la fabulosa marcha invasora.

Fue el jefe de despacho de Maceo porque tenía, además de un probado valor, una péñola ágil y galana.

Al terminarse la Guerra de Independencia, formó parte, en Santiago de Cuba, de la redacción de «El Cubano Libre», el histórico periódico mambí. Creo que ningún diario tuvo nunca, al mismo tiempo, un team de colaboradores tan brillante como el periódico fundado por Céspedes y Maceo. En su redacción hallamos a Eduardo Yero Buduén, maestro de maestros; a Desiderio Fajardo Ortiz, el célebre Cautivo; cerebro de privilegio; al General José Miró, de prosa marmórea y el Coronel Federico Pérez Carbó, adiestrado en las peleas por la libertad. También se contaba, en la redacción, con el estilo ático del famoso Ducazcal y con el humorismo y la ironía urticantes de Mariano Corona.

Mi personaje de hoy, un auténtico personaje inolvidable, fue herido de gravedad muy cerca de La Habana y como en la manigua no había elementos suficientes para su curación, fue autorizado por el hombre de Baraguá, para que se trasladara a este país. Una vez me dijo el Coronel Pérez Carbó: «de aquella campaña saqué una bella cicatriz» y me mostró cómo el plomo enemigo casi lo destrozó la garganta.

Curado, totalmente, el Coronel quiso volver junto a su jefe. Pérez Carbó fue un idólatra de Maceo; para él, como para el General Miró, «Maceo era toda la batalla», el más fascinante de los jefes y, como decía Máximo Gómez, «el primero de los generales del Ejército Libertador». Por esas eminentes razones muy natural era que deseara ocupar, de nuevo, su antiguo puesto, a la vera del caudillo insustituible. El delegado Estrada Palma no se lo permitió y lo conservó junto a él porque le era muy necesario en el difícil renglón de correspondencia y proclamas y para la colaboración en el periódico «Patria».

La muerte de Maceo, en Punta Brava, fue para Pérez Carbó, el más desolador de los cataclismos. Para su jefe de despacho el Lugarteniente era inmortal. Las múltiples cicatrices eran como un pasaporte para enfrentar su vida a todas las acechanzas de la muerte. Muchas veces le oí declamar la inmortalidad del jefe bienamado. La fatal noticia le pareció una mentira o el engendro de los enemigos en histéricas premoniciones. Seguramente algún consuelo encontró en la conmovedora amistad, ofrecida por don Tomás, en quien descubrió la ancha vena de su cubanismo patriarcal y la majestad de su honradez. El prócer bayamés irradiaba, como un manantial, confianza y honor, fe y estímulo, deseos invencibles de seguimiento, afanes de luchar, junto a él, cruzado de las buenas causas. La desaparición física de Maceo lo llevó a los paisajes de la desilusión, pero su memoria lo alentó hasta el fin de sus días. Fue amigo, confidente, corresponsal de Maceo y era tan íntima la amistad que sus cartas a Pérez Carbó contienen sus consejos, sus advertencias, sus querencias y sus abrojos más fundamentales.

Ya firmada la paz retornó a su Santiago de Cuba a reunirse con sus amigos que alentaban sus propios ideales, en una República de enaltecedora ciudadanía. Esos amigos, que formaban un areópago de Pericles, eran Emilio Bacardí, Bravo Correoso, Eudaldo Tamayo, Rafael Portuondo Tamayo, Pancho Chaves Milanés, El Cautivo y otros de la misma prosapia intelectual y cívica. Esos hombres de Plutarco no fueron superados en «la claridad de los designios».

El Coronel Pérez Carbó tuvo, en Cuba, su novia eterna. La República fue el amor de sus amores. Murió con el sagrado nombre en los labios reverentes. Un claro soñador en los destinos nacionales. Pertenecía a la legión de los impolutos. Cuba y la honorabilidad fueron sus más hondos quereres. Gran señor de la probidad, a la manera de Estrada Palma, de Lico Despaigne, de González Lanuza; gran caballero de todas las lealtades; soldado de la Independencia; magnífico ciudadano en una época de nobles intenciones, cruzado de noblezas.

Cuando fui Gobernador de Oriente le otorgué, de acuerdo con el Consejo Provincial, a Pérez Carbó, la Medalla de Oriente, la más alta condecoración de la Provincia. Creo que era un oriental merecedor de todos los homenajes. El Coronel no quiso aceptar ese blasón, acaso pensando que él no lo merecía. Y nadie con mejores motivos.

Su vida privada tan inmaculada como su vida pública. Fue electo Gobernador de Oriente en las segundas elecciones generales. Su cargo le duró poco tiempo ya que el gobierno, sencillo y patriarcal, de don Tomás, fue derribado. Pérez Carbó, caído Estrada Palma, por quien sentía adoración, se retiró de la vida pública, pero siempre estuvo alerta a cualquier solicitud de los Abeles.

Vivía, apaciblemente, en el sagrario de su hogar, a la vera de su esposa buena, virtuosa y muy cubana. En la serenidad de un santo hogar, lleno de ternuras y de amor, se extinguió esta vida sin máculas. Allá, en su ciudad natal, siempre que se hable de honradez y de patriotismo, surgirá el nombre de Federico Pérez Carbó, como el mejor exponente.

Bien le vienen al prócer oriental las palabras que a un prójimo le dedicara San Agustín:

«La modestia fue su mejor gala; la laboriosidad su más dulce recreo; el hogar el centro de sus amores.»

CARTAS DE DON FEDERICO PEREZ CARBO A DON EMILIO BACARDI Y A DOÑA ELVIRA CAPE DE BACARDI

Enero de 1897.

New York, 27 de mayo de 1896

Sr. D. Emilio Bacardí
Santiago de Cuba

Estimado Emilio:

A manos del Sobrecargo del vapor que saldrá hoy para ese puerto mando a Elvira una cajita conteniendo las medicinas homeopáticas que me encargó.

Te incluyo la cuenta que sólo monta un peso noventa centavos.

Encargué a Antonia que por mediación tuya me mandara un cuaderno relativo a la Junta de Heredia. Desisto de mi solicitud. Hazlo saber a Antonia.

Mis recuerdos a Elvira, Didí, Herminia y a túti li mundi de tu querido.

Federico Pérez

P. S.—Manda recoger las medicinas pues no sé si el Sobrecargo bajará a tierra.

Tampa, 6 de febrero de 1897

Mi dulce amiga Cachis:

¿Qué placer mayor podía yo recibir en estos tristes pinares que todo eso que contiene su interesantísima carta que tantos recuerdos ha despertado en mi ser. Tiempo hacía que nadie me hablaba en ese lenguaje sabroso de amistad y de franqueza. Reciba las gracias que le envío desde el fondo de mi corazón por el bien que me ha hecho.

Antes que nada déjeme felicitarla por su nuevo domicilio. Temía por ustedes como sigo temiendo por los míos sin que pueda arrancarlos al peligro de ser víctimas de la venganza «a la hora nona»; así es que cuando Antonia me comunicó que teníais el proyecto de ir a Kinston me alegré de veras, porque para mí era una recta segura en el martirologio de la patria.

He dado mil vueltas en mi cabeza a la idea de sustraer mi familia a esas futuras eventualidades y le confieso, lo que hubiera sido para mí un asunto baladí, tratándose de servir a un cubano, se me antoja un problema tan árduo que no acierto a darle solución. Veremos si el tiempo viene en mi ayuda y me presenta el camino.

Dos veces he ido ya a las costas de Cuba. La primera vez en el «Three Friends» con encargo de dejar una valiosa expedición en la desembocadura del río San Juán, en Cienfuegos. Llegué al lugar la noche del 19 de diciembre. Hacía una luna hermosísima y todo parecía indicar un feliz alijo. No obstante quise extremar la observación y con cuatro anteojos a una milla escasa de tierra, registrábamos las sinuosidades del litoral. De pronto observé una mancha blanca detrás de de unos mangles: era una lancha cañonera que hacía vapor y trataba de internarse en el río para ocultarse de nosotros. Mandé orden al Capitán de salir de allí a toda máquina. El vapor echó a andar, pero de pronto paró y retrocedió, de popa, hacia la ensenada. Fue un error del Capitán. El no había visto la lancha cañonera y creyó que todo había sido una falsa alarma. Entretanto el barco enemigo se nos venía encima y disparó tres cañonazos, sin resultado. Yo ordené un disparo de nuestro cañón Hotchkins de 12 lib. que iba montado a proa, y a pesar de esta dificultad la puntería del Teniente Medrano fue tan certera, que el proyectil, rojo como un bólido, pasó rozando la chimenea del contrario. Esa fue nuestra salvación: los españoles se aterrorizaron y huyeron en dirección de Río Hondo, haciendo señales con cohetes voladores y luces. Aprovechamos la huída del enemigo para salir de allí, pero antes que nos alejáramos un nudo de la costa se presentaron no uno sino dos cañoneros, el que huyó y otro que estaba de servicio en Río Hondo. Dispararon sobre nosotros seis cañonazos más, pero tiraban con tanto miedo que no hicieron blanco. Como el cañón nuestro estaba a proa me contenté con hacerle algunos disparos de fusilería. Era de ver en aquellos momentos de mayor peligro, la serenidad y el entusiasmo de los expedicionarios, entre los cuales había algunos, casi niños, como Carlos Manuel Céspedes, Enrique Yero y Enrique Barnet, éste último un héroe.

Me fue forzoso retroceder a los Cayos de la Florida para cambiar de vapor pues con el mal tiempo sufrido y con la alta presión de la caldera al dejar el San Juan, reventaron tres fluxes y teníamos que navegar a un cuarto de máquina. Fui a Jacksonville de donde salimos el Brigadier Núñez y yo en el *Dauntless*. El día de año nuevo, a las cinco de la tarde, salíamos de los Cayos con nuestro cargamento y después

de un tiempo verdaderamente borrascoso en el Golfo de
México, que puso muy en peligro nuestras vidas, llegamos a
Pinar del Río el día 3, a las cuatro de la tarde dejando en
tierra todo el cargamento en menos de dos horas. De esto
no han cogido los españoles ni un pimiento. Todo está en
manos de Rius Rivera, el sucesor de nuestro querido Maceo.

Y a propósito de Maceo. Me pide Vd. que le cuente como
fue su muerte. Aún está rodeada de misterios. Miró me escribió una sentida carta momento después de dejar sepultados los cadáveres del General y de Francisco Gómez en
una misma fosa. Miró da rienda suelta al sentimiento y no
procura en su carta entrar en detalles de la acción de San
Pedro que pudieran conducirnos al esclarecimiento de los
hechos. Parece que el enemigo atacó al General en momentos en que no tenía a su lado más que a Miró, Alberto No-
darse, Alfredo Justiz y Francisco Gómez. Las fuerzas se ba-
tían en esos momentos con la columna de Cirujeda.

Dice Miró que el General se adelantó, que ellos le siguieron; que aquél, espada en mano, cargó a los soldados como
un héroe recibiendo todo una descarga tan formidable que
el único que escapó con vida, pero herido, fue él (Miró). Llamó entonces a Perico Díaz y le contó lo ocurrido. Con algunos números volvieron al sitio, pero los cadáveres no estaban allí. Siguieron por el rastro y se los arrebataron a los
españoles. Esto es todo lo que sabemos por nuestra propia
información; pero los españoles nos han dicho que Zertucha
se presentó y Zertucha no estuvo en su puesto cuando mata-
ron a Maceo, y nos han dicho también que la *gloria* de esa
muerte corresponde a Ahumada y no a Cirujeda; después
que éste escribió una carta a Weyler exonerándose de toda
gloria en ese hecho por corresponderle al Gobernador General Weyler al tiempo que Ahumada se la atribuye al Ejército.

¿No ve Vd. en todo esto, aparte de las contradicciones y oscuridades del parte oficial que ha jugado la traición en este drama? Yo así lo creo, y espero que no pasará mucho tiempo sin que los mismos españoles descubran el crimen.

Recuerde Vd. que toda la prensa española se hizo eco de una especie echada a volar, no sé si en la Habana o en Madrid, de que la pacificación de la isla dependía de la suerte de una bala; esto refiriéndose a la posibilidad de la muerte de Maceo cuando Weyler inició la campaña contra él. No será difícil que ahora tenga otro plan siniestro para acabar con Máximo Gómez; porque son tan estúpidos que creen a a pie juntillas que sin esos dos hombres muere la revolución. La obra de ellos está hecha y cualquiera de nosotros, por obscuros que seamos, podemos continuarla hasta lograr el triunfo de nuestro supremo ideal: la independencia de Cuba.

Y si no ahí tiene Vd. lo que ha sucedido después de la desaparición de Antonio Maceo: Pinar del Río, fuerte como un muro; la Habana dándole quehacer a Weyler con todo de ser un territorio tan llano y tan pequeño y ocupado por gentes bisoñas y escasas de municiones; en el extranjero, la emigración más compacta y los donativos más cuantiosos. 250.000 de suscripción voluntaria extraordinaria han ingresado en las cajas del Partido, por la muerte de Maceo.

¿En McKinley piensa Vd.? Pues, amiga mía, siento desvanecer sus ilusiones. No espere Vd. nada, absolutamente nada de estas gentes. Cuba tiene en la riqueza de su suelo el cuchillo que la asesina. Sueñan con no sé qué franquicias comerciales y otras ventajas los sindicatos americanos que tienen su dinero en Cuba, y esos sindicatos están incondicionalmente al servicio de España, no por amor, sino por lo que les conviene. Influyen de manera muy *efectiva* sobre los hombres de estado de ambos países y no dude Vd. un momento de que ellos son los autores de ese engendro que se llama: «la paz por las reformas».

¿No ha hecho Sherman una declaración contraria a cuanto había dicho y sostenido respecto al problema cubano, sólo por asegurar la Secretaría del Estado que dudaba darle McKinley por las ideas de aquel en nuestros asuntos? ¿No ha retirado Cameron su proposición de reconocer la independencia de Cuba en los momentos en que todo el mundo esperaba que la defendería con más calor y abundancia de argumentos? ¿No ha visto Vd. como se ha apagado de una manera súbita el clamoreo de la prensa periódica y la candente discusión del Congreso? Pues todo eso debe dar a Vd. la medida de lo que estos hombres son capaces de hacer por Cuba en su lucha desesperada por la libertad. ¡Fuego y sangre! He aquí nuestra salvación. Y que el fuego principie por las propiedades de los americanos. Creo que va siendo hora de que en ello piensen nuestros directores; porque no veo lejano el día en que los agitadores cubanos tengan que refugiarse en el Canadá, para no ir a cumplir su condena en la Penitenciaría de Sing Sing. Y no me crea pesimista. Hasta ahora ha visto Vd., aunque con pesar, confirmados mis juicios en la materia.

Pero ¿ha tenido Vd. cartas de Emilio? ¿Qué le dice? ¿Dónde está? ¿Puedo yo escribirle? Con qué gusto llevaría a su alma adolorida el consuelo de mis palabras, la expresión cariñosa de mi amistad sincera, la prueba inequívoca de la confraternidad en el dolor. Muchas veces he intentado hacerlo pero ¿cómo? Facundito, que antes me escribía, no sé por donde anda; Vd. estaba en Cuba y yo tenía que guardar silencio para no comprometerla y no tenía a nadie a quien consultar.

Emilito está en Pinar del Río. Se quedó con Rius Rivera, tal vez a eso deba su salvación. En carta que me escribió Miró, antes de pasar la trocha me puso Miló dos líneas para enviarle a Vd. recuerdos. Ignora la deportación de su papá. Parece que Vd. se dejó olvidada la cartita que le tenía escrita pues no la hallé dentro de la mía como me anuncia.

De Antonia he sabido recientemente. Me dice que las muchachas están bien y ella mejorando.

De María me dice que está muy grave y que cree morirá. ¿Qué le he de decir a Vd. de Riera? Supongo que tendrá Vd. suficientes pruebas para creerle autor de las desgracias de Emilio y esto le hace verle con repugnancia. Cuanto a mi puedo asegurar a Vd. que correspondí a su amistad con la buena fe que preside a mis actos y que cuando llegó el momento le serví de corazón y bien. A eso, y no a otra cosa, atribuyo sus atenciones para con mis hijos. También mi Antonia, que es un alma sin sombras, cuida de María como de una hermana.

Mi recuerdos a   , Ernestina, Amalita y Manita. Ni una palabra a Emilita por ingrata.

Que las muchachas crezcan y progresen en los estudios y que Vd. se haga una sajona y dígamele muchas cosas a Didí y Herminia.

Suyo,
Federico

4

Tampa, 16 de abril de 1897

SRA. ELVIRA CAPE
Kingston

Mi querida amiga:

A mi vuelta a esta ciudad antes de ayer, hallé en el escritorio dos cartas de Antonia, en una de las cuales me da la triste noticia de haber rendido viaje la buena Manita, distante de su querido hogar, disuelta la familia por el vendabal político. ¡Qué período de pruebas tan tremendo! Pero resistimos todos a pecho descubierto, aceptamos la lucha con todas sus consecuencias y ahogamos en nuestros pechos toda queja, todo grito de dolor, para no rebajar el mérito del tremendo sacrificio que nos hemos impuesto por el honor y la libertad.

Por eso y conociendo que son todos ustedes de la madera de Emilio, que es de los privilegiados y los fuertes, no he de caer en la extravagancia ni en la puerilidad de hacerle una epístola elegíaca para deplorar en ella la desaparición de la madre sufrida y amorosa para quién las desventuras de la Patria tenían reservada una vejez erizada de inquietudes, incomodidades y peligros.

Gran consuelo es para los seres virtuosos al pagar la deuda de muerte a la naturaleza, verse rodeados de los suyos, oír frases de amor y de ternura, sentir el beso puro sobre la frente que se hiela y el calor de la mano que busca piadosa y delicada los débiles latidos del corazón que se apaga; pero morir fuera de la tierra amada, el modesto pero dulce hogar reducido a cenizas, el hijo en los presidios africanos, el nieto arma al brazo, frente al enemigo, y la familia dispersa,

perseguida y encarcelada, ¡oh! eso debe ser muy cruel. Pero
ese es el precio de nuestras libertades, y así, no se explica
uno, como haya cubanos tan perversos que en estos momentos de ardor y de patriotismo pretenden abrir un zanjón donde queden sepultados con el honor de una raza sus glorias
y martirios.

Usted, buena amiga, se encargará de hacer llegar a todos
y a cada uno de los dolientes, la expresión de honda pena,
ya que las circunstancias especiales que atravesamos me
impiden cumplir ese deber personalmente.

Aprovecharé este pequeño descanso que la necesidad me
impone para escribir a Emilio y en espera de tener de usted
prontas noticias me despido con recuerdos cariñosos para
chicos y grandes y un abrazo para Vd . de su invariable

Federico

Jacksonville, 17 de abril de 1897

Sra. Elvira Cape
Kingston

Mi querida amiga Elvira:

Con el gusto de siempre he leido su carta de fecha 11 del
mes pasado que, con bastante retraso, ha llegado a mis ma·
nos antes de ayer. Parece increíble que tarde tanto la correspondencia de esa Antilla; y no hay caso: el timbre del
P. O. de ahí reza 14 de marzo y el de New York 9 de abril.
Sin duda el vapor que la trajo hace muchas escalas, pues no
se explica de otro modo la tardanza teniendo que recorrer
distancia tan corta.

Ayer mismo mandé un giro postal al Director de «El Por-

venir», un giro postal para que, por correo, le remita Octavio
Luy el mapa que Vd. desea. Acéptelo como presente de este
su invariable amigo.

Mucho me alegra que haya Vd. mandado la dirección de
Emilio. Deseaba escribirle pero no sabía en qué forma podía
hacerlo sin riesgo de que la carta se extraviase. Esta misma
noche lo haré pues no puedo dejarlo para mañana por la
continua movilidad en que vivo.

A Emilita Lay escribí ahora días, dándole cuenta del feliz desembarco de la expedición Roloff en el puerto de Ba-
nes y de la que llevé yo a la provincia de la Habana. Las pos-
teriores han tenido sus tropiezos aquí y aún no han podido
salir.

No crea Vd. las patrañas de la prensa americana. Ningún
barco de guerra irá a la Habana. El bloqueo está aquí, en estas costas, para perseguirnos y capturarnos; así es que cada
expedición que llega a Cuba cuesta el valor de tres o de
cuatro, y después queda pendiente el juicio por violación de
las leyes de Neutralidad con lo que se le agrega de fianzas
que se pierden, de expensas para los abogados y de mil gastos que sería tarea interminable enumerar. A pulso tenemos
que ganarnos la independencia. Por eso es necesario, indis-
pensable, que haya unión y patriotismo entre los emigrados,
que el sacrificio sea sin tasa, de vidas y haciendas. Es lance
de honor en que estamos empeñados; problema de vida o
muerte.

Dígame si ha llegado a esa procedente de Cuba libre, Ce-
cilia, la viuda de Diego Palacios, del noble Dieguito.

He sabido de Antonia: todos bien menos ella que tiene
sus altibajos en su quebrantada salud.

María Guerrero murió tras mucho sufrir y Riera marchó
para la Península, sin despedirse de Antonia. Esta sirvió a

María hasta el último momento. Hacer el bien es muy grande. Hagámoslo siempre aunque no nos paguen con la misma moneda.

Las últimas noticias que tengo de Miló son que asistió en representación de su Jefe Bermúdez a la conferencia celebrada por Jorrín y compañeros con el General Rius Rivera, antes de caer prisionero este General. La gente de Pinar del Río no hay forma que escriba, y a la verdad no comprendo la causa, porque ahora están en mejores condiciones que cuando Maceo estaba allí, y Maceo nunca dejó de escribirme.

Con recuerdos para toda la familia y un abrazo para usted le dice adiós su amigo

Federico Pérez

P. S.—A Didí y a Herminia mis afectos. Sauvenelle ha regresado a New York. ¡Qué escapada!

Jacksonville, Fla., 14 de mayo de 1897

Mi querida amiga Elvira:

Duéleme que Vd. suponga que no respondí enseguida a su primera cariñosa carta, escrita desde esa isla inglesa. No perdí tiempo alguno, pues la contesté inmediatamente después de su recibo. Supongo que habrá demorado en el correo; aunque recuerdo que la puse en la estafeta la víspera de salir en su primer viaje de Tampa a Jamaica el vapor «Olivetti».

Mucho le agradezco que me haya comunicado noticias de Emilio. No sabía a punto fijo el lugar de su confinamiento ni si se le podía escribir. Ahora que conozco ambas cosas le escribiré sin cometer ningún desliz que pueda agravar su situación en aquel establecimiento penal.

Déme noticias de Facundito. Me escribió desde Perth Amboy y le contesté; pero desde entonces ignoro cuál es su paradero.

Este gobierno con su legión de *detectives* y con su numerosa escuadra, que bien debiera estar en aguas de Cuba para proteger las vidas e intereses de los ciudadanos americanos, nos tiene aburridos, pues nos cuesta mucho trabajo y mucho dinero el mover hoy un cargamento de armas y municiones para Cuba. Tenemos los espías americanos detrás como otros tantos adjuntos, se les ve comer en las mesas inmediatas a las nuestras y estar de plantón en una esquina o a las puertas de las casas. No echo de menos el procedimiento de la estulta policía española. Los *reporters* de la prensa periódica son otros tantos espías. Velan nuestro sueño y siguen nuestros pasos tan de cerca que nadie me apea de la creencia de que están mascando a dos carrillos. No hay detalles que no publiquen, ni secreto que no vendan al mejor postor. Eso sí, hay que oírlos: *simpatizan* demasiado con nuestra causa. ¡Mercaderes!

Siento mucho los achaques de Manita por su edad. Lo mejor que hacen es ocultarle la situación de Emilio, pues de saberla, se exacerbarían sus males.

Mis recuerdos a todos en general y Vd. reciba un fuerte abrazo de su querido amigo,

Federico

P. S.—Escríbame siempre a Tampa, Florida.

Tampa, 16 de mayo de 1897

SRA. D.ª ELVIRA CAPE
Kingston, Jamaica

Mi querida amiga:

Ayer recibí en Jacksonville su grata carta del día 2 del corriente, que contesto a escape, porque estoy de viaje y no puedo detenerme aquí sino algunas horas. Cuando regrese a Jacksonville le contestaré más extensamente y le hablaré de los varios particulares que su carta comprende.

Escribí a Emilio con la dirección que Vd. me dio; pero no he tenido respuesta todavía. Quizás sí él lo haga por conducto de Vd.

Siento que el mapa no haya llenado sus deseos; pero usted me dijo que quería un ejemplar de los que se venden en la Redacción de «El Porvenir», y ese le mandé.

No es cierto que esté inútil de la mano derecha. Por el contrario, cada día me siento mejor de ella, pues los nervios heridos se van soldando por sí mismos, y solamente sufro dolores internos en el brazo y en la mano cuando hay barruntos de lluvia o estoy embarcado. Efectos de la humedad.

Mis recuerdos a toda la familia, grandes y chicos, y usted reciba un abrazo de su verdadero amigo,

Federico Pérez

P. S.—Cuando escriba a Didí diga mis recuerdos a ella y a Herminia.

Jacksonville, 28 de junio de 1897

SRA. D.ª ELVIRA CAPE
Kingston, Ja.

Mi querida amiga Elvira:

No sé de Vd. hace tiempo. ¿Por qué no me escribe?
Tampoco Emilita quiere hacerlo. Sólo es constante mi buena Antonia.

Cuando escribí a Vd. la última vez lo hice de carrera,
porque —como le dije entonces— estaba de viaje. No he
parado un momento hasta ahora que hemos tomado puerto.
Dejamos dos expediciones muy buenas, una en el Camagüey,
la otra en la mismísima Habana. La tercera no pudo ser
tan feliz y ha sufrido incontables contratiempos. Los más
salientes son: la captura del *Dauntless* por el Marblehead,
en *New River;* varadura del mismo a su salida de *Key West,*
después de libertado; imposibilidad de hacer el alijo en
cierta costa de la isla por haber sido descubiertos cuando
estábamos tan cerca de la tierra que aspirábamos la esencia
de sus flores silvestres; inutilización de la caldera del
Dauntless a sólo nueve leguas de Cayo Piedra, Cárdenas,
quedándonos al garete, arrastrados por la corriente del Golfo; nuevo apresamiento del *Dauntless* por el guardacostas
McLane en Alligator Light, y antes de todos estos accidentes,
motines en la tripulación y una resaca tan brava el día del
embarque, que el bote en que yo iba zozobró y fuimos, bote
y tripulación, arrollados por las olas hasta la playa. En
medio de todo no puedo quejarme, porque aún estoy contando el cuento. Además, a mi vuelta, recibí la gratísima sor-
presa de hallarme una carta de Emilio, fechada en Chafari-

nas a fines de mayo, llena de amor, hondamente sentida, impregnada de la melancólica tristura que viste la luz crepuscular cuando el sol se despide de aquellos agrios peñascos. También me mandó dos fotografías: «Una Cuerda» y «En Chafarinas». Ambos grupos son interesantísimos. ¡Qué calvario el nuestro! Y que tantos sacrificios y dolores no basten a fijar la atención de todo el pueblo cubano en un solo punto: ¡triunfar! Es preciso salir de una vez de ese sistema de iniquidades y desvergüenzas que tratamos de destruir con las balas y el machete, y la única manera de conseguir nuestro objeto es manteniendo la unidad de las emigraciones en la forma y manera que Martí las unió, cuyo fruto estamos recogiendo con universal admiración, desde el principio de esta contienda.

Meter a las emigraciones en luchas de partidos, es dividirla, es distraer su atención de lo principal, que es la guerra, por lo secundario, que es la lucha electoral. Mientras no tengamos patria las emigraciones no pueden ejercitar el derecho del sufragio, primero, porque no tiene precedente en la historia de los pueblos; segundo, porque sólo los sublevados en armas son los llamados a intervenir allá en la cosa pública; tercero, porque no todos los emigrados podrán usar de ese derecho. ¿Por ventura ignoramos cómo se conducen con los expatriados cubanos los gobiernos de Santo Domingo, Haití, México y todas las repúblicas de Centro y Sur América? Por fortuna, con muy buen sentido práctico la emigración de Tampa ha dado la nota de abstención y Key West la secunda. Nueva York se agita en el mismo sentido y es de esperar que ni un solo cubano, ni uno sólo, acuda a las urnas. Diga Vd. a Octavio de mi parte, que ésto es lo patriótico, y que allí como en todas partes, debe imitarse y aplaudirse el acuerdo de la Asamblea de Tampa.

Al fin me decido a traer la familia. Ayer escribí a Antonia para que se embarque en el vapor americano para New York. Fijaremos residencia en Tampa. Con los míos aquí estaré menos intranquilo.

Dígame si es cierto que Enrique Schuez ha sido preso y cuál es su situación. Supongo que el Cónsul francés lo protegerá. La cuestión es hacer la guerra a toda la familia. Por eso quiero sacar la mía de aquel infierno.

Mis recuerdos a todos, a todos, y para Vd. vaya un abrazo de todo corazón,

Federico

P. S.—Quiero copiarle el párrafo final de la carta de Emilio. «La fe, la fe del sectario me ha alentado hasta ahora, yo no desmayo, pronto lucirá nueva aurora, pronto restañadas las heridas volveremos a encontrarnos en la arruinada Biajaca, pero con sus montañas, sus árboles y su arroyo, y reunidos todos, si Dios nos conserva a los que están en peligro, tan felices como lo fuimos en los días que pasaron.»

Tampa, 16 de julio de 1897
Chafarinas

Mi querido Emilio:

Con las dos fotografías recibí tu elevada y conceptuosa carta. Demás está el decirte con qué fruición íntima he leído y releído sus brillantes párrafos y cuántos recuerdos despertaron en mi memoria. La he enseñado a algunas personas que o te quieren bien o aman mucho a Cuba.

Ayer, a mi regreso a esta ciudad, me encontré dos cartas de Antonia, en una de las cuales da la triste noticia de haber muerto en Kingston tu adorada Manita, rendida más que al peso de los años a las terribles luchas de su tormentosa vejez. Cuánto no debió sufrir al ver que se apagaba su existencia en tan tristes circunstancias: su tranquilo hogar hecho cenizas, tú en esas lejanas tierras, Miló en constante peligro, y los demás separados y disueltos por la fuerza de la tempestad: ¡Cuánta mudanza en poco tiempo!

Acabo de escribir a Elvira de quién no sé hace más de dos meses. Probablemente su silencio ha tenido por causa la enfermedad de Manita, de la que no estaba yo enterado por la continua movilidad en que vivo. Hace tres meses que no descanso. En ese lapso de tiempo he corrido mis peligros, pero he tenido la buena suerte de sortearlos.

Los periódicos hablan de que ciento cincuenta deportados de Cuba y Chafarinas han sido puestos en libertad y trasladados a la Península donde residirán. ¿Serás tú uno de los favorecidos? Cuánto me alegraría, porque qué diferencia entre la vida monótona de ese peñasco y la que se hace en Sevilla, por ejemplo.

Espero tu próxima carta para saber la verdad.

Aquí está Anita y la Dubill. Todos te recuerdan constantemente. De Miló supe últimamente. Está perfectamente y contento, en lo que cabe.

Quisiera escribirte con más extensión, pero no puedo.

Sabes con qué amor participo de tus desgracias presentes,

Federico

Tampa, 17 de agosto de 1897

Mi querida amiga Elvira:

... ...
del día 8 del mismo mes, es decir después de treinta y pico
de días de haber sido escritas. Por lo visto las comunicaciones entre esa isla y los Estados Unidos no son muy satis-
factorias. Sobre todo para los que vivimos anhelando por
noticias de los seres que nos son queridos.

Bien hace Vd. en tomar cuatro pliegos de papel en cas-
tigo al gran pecado de tenerme por tan largo lapso de
tiempo privado de sus cariñosas misivas y en la cruel duda
de si algún acto mío pudiera haberle desagradado tanto
que mereciera yo pena tan atroz por él. Ahora espero que
no se repita el hecho y que cuando sus atenciones...

Creo haberle dicho en mis anteriores que mis sueños de
traer a mi lado a los míos se deshizo como la niebla al sol.
Un ... ... de mi parte habría bastado para la realiza-
ción de mis justos y naturales deseos, pero motivos de deli-
cadeza me obligaron a callar, más aún, a dar mi aprobación
en asunto que estaba halagado el corazón. ¿Habré obrado
mal? Yo creo que no. Mi conciencia no será responsable de
nada y tuve el cuidado de recalcar bien mis palabras relati-
vas a esa responsabilidad, en el caso de que la hubiere. Sea
todo por Cuba.

No es sólo en Kingston, amiga mía, donde hay cubanos
indiferentes o pesimistas y cubanos perturbadores. A los
primeros asústales o los aflige el ostracismo forzoso o vo-
luntario; suspiran todavía por la «regalada» vida de la colo-
nia que disfrutaban a costa de las prendas más caras al

hombre: la dignidad y el honor. A otros, inconscientes servidores de la causa de España, disgústales la marcha triunfante de la revolución sin que ellos intervengan directamente en el manejo de la cosa pública y sus trabajos se encaminan a subvertir el estado actual de cosas para lograr hacer bueno en su provecho el conocido refrán: «A río revuelto ganancia de pescadores».

Hay otros grupos de meticulosos, que desconfían de las aptitudes del pueblo cubano para gobernarse a sí mismo, quizás porque los que tal piensan no han podido manejar la hacienda propia, o también por un pueril temor a la raza de color, que en estos momentos está dándoles una tremenda lección, porque al mismo tiempo que estos egoístas y timoratos tratan de arreglar la patria desde fuera, aquélla, con el rifle y el machete, está arrebatando al tirano la tierra conquistada a sangre y fuego.

Acá en la Gran República hay también cubanos de esa camada; pero tienen un pueblo enfrente que obsesionado por un pasado doloroso, los ha puesto a raya cuantas veces ha pretendido meterse a reformador de la obra ajena, sin que les haya valido el blasón de su linaje, ni las ínfulas del talento.

La patria no necesita para ser redimida mas que de hombres de buena voluntad y de sentido común. Ver, sinó, quiénes son los que aquí llevan las riendas del gobierno. Lo mismo sucederá mañana en Cuba.

Cánovas era la ciencia infusa, al decir de los españoles. Sin embargo, toda su sapiencia la empleó en llevar a su nación al borde del abismo en que se encuentra, y en hacer de una isla de habitantes inofensivos un verdadero infierno para la raza dominadora.

Y lo peor no es eso, sino que, por lo que Vd. me dice,

con relación a los Comisionados que han pasado por ahí, también en el campo de la revolución hay descontentos que están en relación con los de fuera; pero no hay nada que temer. Acá en el extranjero está la organización prodigiosa de Martí, tan fuerte, tan robusta, tan entera como el primer día, cuando aquel genio de la revolución la creó y estableció. Y allá en los campos adorados de la tierra amada, alienta Máximo Gómez, el genio de la guerra, que ha creado un ejército aguerrido y compacto, para salvar la revolución de cualquier peligro que la amenace.

Yo espero que en las próximas elecciones prevalecerá el patriotismo y la sana razón, y que en todos los actos electorales reinará la armonía y la concordia más perfectas, para dar un mentís a nuestros enemigos que, como única salvación, esperan que se reuna la Asamblea, fuente para ellos de disturbios y trastornos, que han de traer consigo, la paz sin la independencia.

Por lo pronto habrá visto Vd, con qué habilidad y sentido práctico las emigraciones han renunciado al derecho al voto que les otorgó el Consejo de Gobierno, porque vió, en su ejercicio, un peligro para la unidad del partido, por la lucha de intereses personales y por la irritante preferencia que el decreto electoral establece entre los emigrados. ¿No merece ser libre un pueblo que procede así? Pues ese acuerdo que todos alabamos lo tomaron las masas populares, pues los directores de ellas estaban empeñados en ir a las urnas para correr en la candidatura unos y otros para escalar puestos que habrían de quedar vacantes al marchar a Cuba los candidatos.

De la misma manera creo que procederá la Asamblea y que no tendremos que lamentar movimientos como el de las

«Lagunas de Varona» en la pasada guerra, generadores del desastre del Zanjón.

Ya yo estoy completamente curado de mi herida. Esta la recibí en el combate del ingenio Garro, provincia de Pinar del Río, el día 8 de enero de 1896, donde nos esperaba emboscada la columna del General español Prat, quien, de paso sea dicho, no estaba muy ganoso de pelear porque en vez de seguir a retaguardia de Maceo quedó acampado en el ingenio, cuando sólo eran las dos de la tarde y nuestras fuerzas siguieron en su marcha triunfadora hasta el pueblo de Mántua, término de la jornada.

Anita Lacret y las Dubill están sin novedad; pero muy tristes por la muerte de Félix.

Yo también recibí dos grupos que me dedicó Emilio, uno que representa «una cuerda», donde va él con otros, amarrado camino de Chafarinas y otro que representa un gabinete de lectura, en el cual aparece Emilio sentado y tan triste que impresiona al que lo ve.

Con recuerdos para todos le dice adiós con un abrazo su amigo

Federico

Delegación de la República de Cuba

New York, 3 de septiembre de 1897

SRA. ELVIRA CAPE DE BACARDÍ
Kingston, Jamaica

Mi querida Elvira:
Acabo de llegar a ésta donde fijaré mi residencia, llama-

do por el Delegado. Debido a esa llamada no ando por las
costas queridas, pues la expedición que saqué de Tampa el
sábado pasado tuve que entregarla en alta mar al General
Emilio Núñez, en un punto convenido con él y retroceder al
punto de partida para tomar el tren que me dejó en este
infierno a las tres de la tarde. Aquí me he enterado que
saldrá mañana un vapor para esa y no quiero perder la
oportunidad de decirle que, a mi pesar, dejo de ser filibus-
tero.

Recuerdos para todos y un abrazo de su querido

Federico

Partido Revolucionario Cubano
     Delegación

New York, septiembre 18, 1897

SRA. ELVIRA CAPE DE BACARDÍ
Kingston

Mi amiga Cachis:

Su cariñosa del día 29 del pasado me llegó oportunamen-
te. Le agradezco su promesa de enmienda para lo sucesivo.
Usted sabe que se la quiere bien y que sus cartas son un
bálsamo a las heridas del corazón de este su amigo. Hoy más
que nunca necesito ese consuelo, porque necesidades del
servicio me han traído a residir nuevamente en New York,
en este medio repugnante, donde por fuerza tengo que ver
a personas que aborrezco por su conducta antipatriótica,
inmoral y egoista; oír cuentos y chismes; enterarme de ma-

nejos infames y criminales; rechazar críticas y censuras injustas nacidas de inmoderadas ambiciones no satisfechas, o de la vanidad y el orgullo de los que, sin títulos para ello, lo quieren acaparar todo con daño de la Patria. ¡Qué diferencia de mi vida de ayer!

Vida de acción, de libertad, de emociones, de peligros, de grandeza. Combinaciones para burlar en tierra a las autoridades federales, a los espías españoles, *pinkertons* americanos, y aun a los mismos *siboneyes*, denunciadores inconscientes de todo secreto. Después el mar con sus volubilidades y sensaciones: la ola que se encrespa y barre la cubierta del buque; el viento que arrecia y amenaza el débil esquife que se aventura a magna empresa; la columna de humo en el horizonte que unas veces se esfuma, otras se espesa y siempre se aproxima; la súbita presencia de un vapor cuya arboladura semeja la de un barco de guerra —¿Será inglés? ¿Será español? ¡A Roma por todo!—. La vista de las costas cubanas como una línea oscura que nos descubre el anteojo nunca en reposo, siempre de mano en mano; los mil incidentes de la llegada, del alijo, de la retirada; la íntima conversación, el inenarrable contento de los que regresamos, bajo el cielo querido de los trópicos, con sus estrellas, rutilantes testigos de nuestras luchas y de nuestras ansias; la vuelta a tierra americana donde los emigrados del Sur, vigilantes en la costa nos aguardan impacientes de día y de noche, una semana y otra, escudriñando el horizonte como el niño de la leyenda alemana para arrancarle sus secretos a lo desconocido. Todo eso, en un instante, trocado por la vida sedentaria del oficinista, pegado a un escritorio para recibir y contestar cartas insulsas, escritos pedantescos, solicitudes impertinentes, proyectos descabellados y ruinosos, quejas inmotivadas, trabajos de intrigas, de

5

pasiones, de odios. ¡Cuántas miserias! ¡Cuánta ambición de
jefatura! ¡Cuánto cieno frente a tanto heroismo y sacrificio!
Este fermento me apesta, me asfixia, me mata. Y... no
quisiera decirlo, pero no puedo callarlo: me asusta para el
porvenir. Será para mi el golpe más terrible llegar al con-
vencimiento de que podremos ser un pueblo independiente,
pero no un pueblo libre.

Para consolarnos de esas tristezas hablemos de nuestros
épicos triunfos. Tunas cayó en poder del General Calixto
García. Es ese un hecho de armas de gran significación por
la contundencia del golpe, por la oportunidad de su ocurrencia, por la duración del asedio sin que pudieran llegar refuerzos en auxilio de los sitiados, por la derrota de Luque
en Tasajeras; por la confesión de este General de la impo-
tencia de España para hacer frente a la revolución en la
provincia oriental. El efecto producido en el exterior es funesto para España y servirá de gran argumento a Mr. Wood-
ford en el desempeño de la comisión diplomática que lleva,
por más que, en mi modo particular de apreciar la política
exterior del gobierno de los Estados Unidos, ningún resultado obtendremos de esa Comisión los pobres cubanos, sa-
crificados a la conveniencia de los intereses generales de la
nación y a los privados de los *trusts* y de las empresas esta-
blecidas bajo el pabellón español con irritantes privilegios y
monopolios.

Cuba se desangra y arruina por su libertad en la libre
América. En la Europa monárquica a pesar de sus tradiciones y de sus tendencias no han podido los turcos iniciar
contra los griegos la campaña de exterminio que con salva-
je crueldad e impunidad consuma Weyler. ¡Civilización!
¡Cristianismo! ¡Humanidad! Palabras huecas; expresión hipócrita de condenación de los sentimientos perversos que
dominan la conciencia humana en este fin de siglo.

Necesario es que nos inmolemos en aras del ideal que sustentamos. «Hierro y soldados» como gritó Heredia en un rapto de indignación patriótica. Sangre y fuego, como protesta de formidable vigor a la cobarde inacción de la América Latina, a la fría y calculada indiferencia de la América de Washington.

Ya en el *Norte* he perdido toda esperanza de reunirme a Antonia y a los míos. En el Sur la acariciaba con calor a pesar de mis recientes decepciones. Todo sea por Cuba; pero yo que tengo ya forrado el corazón ¿de qué diré? de roca, de hierro, para no sentir los mandobles que personalmente recibo no puedo ver sin irritarme la conducta de nuestros paisanos ricos o acomodados que viven en el exterior, sordos a la voz del dolor, encerrados en su yoísmo como la ostra a su concha, impasibles ante el cuadro de desolación y muerte que tenemos delante. ¿Para qué es el dinero? No hay vergüenza, no hay honor, no hay patriotismo, no hay nada. ¡Qué ejemplo están dando los que por patriotismo, honor y vergüenza, mueren de fiebre con el arma al brazo, en Vuelta Abajo; caen atravesados por el acero enemigo en el Grillo; son asesinados por Molina en nuestro hospital de la Ciénaga; resisten con Gómez la irrupción de 30.000 soldados en Las Villas y arrebatan al contrario la ciudad fortificada de las Tunas! Unos lo dan todo: vida, familia, posición; otros no dan nada y a todo aspirarán el día del Ayacucho.

No he tenido cartas de Emilio y no me he atrevido a escribirle después de la fuga de Justo García. ¿Puedo hacerlo? Mándeme su retrato y use la dirección de Trujillo. Es la mejor. Recuerdos a toda la familia y a Clarita y Antonio y para usted un abrazo de su aftmo.,

Federico Pérez

Partido Revolucionario Cubano
        Delegación

                        New York, 1 de octubre de 1897

Sra. Elvira Cape de Bacardí
Kingston

Mi querida amiga:
    Le incluyo el manuscrito de la «Tormentas en Filipinas».
Ya lo habrá visto Vd. publicado en «Patria». La Despedida
de Rizal saldrá pronto en la «Revista de Cayo Hueso».
    Recibí carta de Emilio. Pronto la contestaré.
    En España hay crisis. Dimitió el Ministerio Azcárraga
y probablemente subirá al poder Sagasta. *La meme chose.*
Nosotros: machete y machete hasta concluir con esos ban-
doleros.
    Lo de Woodford más ruido que nueces ¡Bala y candela!
Todo lo demás es pamplina. ¿Qué Cuba quedará arruinada?
Mejor, nosotros vivimos con boniatos y un bohío basta para
protegernos de la intemperie. Así los «Vampiros de mi pa
tria» no la codiciarán más. Ni los yankees tampoco.
    El piojo de Weyler, tan asqueroso, tan menguado de
cuerpo y de alma, al fin se va. Y no hay un *Angiolino* que le
corte el resuello. ¡En la Habana, donde por una pesetas en-
frían a un hombre!
    Déme noticias de Didí y de Herminia y mis recuerdos
para ellas y para todos.
    Hasta otra.

                                        Cactus

Partido Revolucionario Cubano
        Delegación

New York, 13 de octubre de 1897

SRA. ELVIRA CAPE
Kingston, Jamaica

Mi querida amiga:
        No tengo ninguna de Vd. a qué referirme.
        Le mando por este correo un ejemplar de la «Revista de
Cayo Hueso», donde verá publicada la «Despedida de Rizal»
completa, pues la que Vd. me mandó adolece de la supresión
de una estrofa y aun de algunas palabras que hacen defec-
tuosos los versos.
        Tengo esperanzas de que Emilio salga pronto en libertad.
Por acá sigue la *bulla* pero nada efectivo hasta ahora. El
periódico «The Journal», de esta ciudad, acaba de hacer una
acción atrevida. Ha rescatado de la Casa de Recogidos a la
Srta. Evangelina Cisneros y le ha traído a New York. Se le
prepara una manifestación estruendosa. La campaña de
«The Journal» favorece extraordinariamente nuestra obra.
        Recuerdos a todos.
        Teodoro Pérez le hará una visita en mi nombre. Tráteme
bien a un buen patriota.

                                    Suyo,

                                    Federico Pérez

P. S.—Acabo de recibir una carta de Miló. Saboréela, escrí-
        bale y devuélvamela.

New York, 19 de octubre 1897

Mi querido Emilio:
No tengo tiempo para escribirte, como quisiera, extensamente. Estoy extraordinariamente ocupado, y, además, espero verte pronto por aquí, pues tengo noticias que se ha ordenado la libertad de todos los deportados.
He recibido carta de Miló reciente. La mandé a Elvira. Está bueno y contento en lo que cabe.
Te incluyo carta que recibí ayer de Tampa.
Un abrazo de tu querido

Federico Pérez

Partido Revolucionario Cubano
      Delegación

New York, 7 de diciembre de 1897

SRA. ELVIRA CAPE
Kingston

Mi querida amiga Cactus:
Acabo de regresar de nuestras caras costas, donde dejamos el domingo 28 del pasado mes un valioso cargamento, pasando para ello por dentro de una verdadera red de barcos de guerra españoles y sufriendo las incomodidades propias de la estación y corriendo el riesgo de volar por una posible distracción del maquinista. Por fin todo salió bien y

aquí me tiene Vd. otra vez a su disposición y a las órdenes de mi Patria.

Entre las muchas cartas que encontré en mi escritorio hallé dos de Vd., de fechas 9 y 30 de noviembre. Veo por ellas que ignora Vd. el paradero de Emilio, cuando lo hacía en esa isla, a su lado, indemnizándose de tantas cosas como ha pasado y a Vd. de tantas penas como ha sufrido. Yo lo esperaba aquí: acaricié la idea de abrazarlo y de hablar largo y tendido con él.

Creo que hoy estará ya al lado de Vd., para que no sea ilusoria, sino real la dicha que Vd. saborea anticipadamente.

Teodoro no está aquí. Cuando lo vea cumpliré su encargo.

Antonia está mejor. Gracias por su recuerdo.

¿Qué es de Emilita? Cuidado que hace tiempo que me tiene olvidado.

Recuerdos para todos, y si Emilio está ahí, déle un abrazo bien apretado.

Suyo cariñísimo,

Federico Pérez

Partido Revolucionario Cubano
Delegación

Sra. Elvira Cape
Kingston

Mi amiga Elvira:

Dos letras para felicitarla, por tener ya a su lado al filósofo, sano y salvo de tantos peligros.

Cuídelo bien que nos hace falta para el porvenir...
Memorias a Didí, Herminia Mariita y demás gente menuda y para Vd. un abrazo de su querido

Federico Pérez

Partido Revolucionario Cubano
     Delegación

New York, 16 de diciembre de 1897

SR. EMILIO BACARDÍ
Kingston, Jamaica

Mi querido Emilio:

De intento he dejado transcurrir algunos días para contestar tu carta de Marsella, a fin de dar tiempo a tu espíritu sacudido por emociones tan fuertes como las que causa la vuelta al seno de la familia después de un cautiverio prolongado y encontrar esta desmembrada por la muerte, siempre inflexible y fatal.

Tus hijos, tu Elvira, tus hermanos y amigos te habrán indemnizado, en parte, de los tormentos y dolores sufridos durante tu peregrinación y paso por cárceles y presidios; ¡por cárceles y presidios españoles!... Y ahora vengo yo, tu compañero en ideas y sentimientos, a traerte mi tributo de miel y bálsamo, por lo mismo que sé lo que eso vale apartado como estoy de los míos y sin esperanza, por ahora, de reunirme a ellos.

Estamos en el tercer año de la guerra; hemos tenido grandes triunfos y grandes descalabros; el enemigo, después de una política de terror y de exterminio, tan cruel como infructuosa, adopta ahora otros métodos, que serán igualmente ineficaces, y el mundo civilizado, en presencia de tan horrendos crímenes como los perpetrados por el feroz Weyler en Cuba, permaneció tan impasible como hoy se muestra indiferente a las artimañas y timos de Sagasta y sus cofrades. Los Estados Unidos que se han conmovido por análogas desgracias en Armenia, país de otro hemisferio, han permitido que a sus mismas puertas se condene un pueblo indefenso, de niños, mujeres y ancianos, a morir lentamente de hambre dentro de las fortificaciones españolas. La tercera parte de la población cubana ha desaparecido; la riqueza de la isla no ha ido en zaga a la mortalidad, el ensañamiento español ha sido contestado con repetidos actos de clemencia por los revolucionarios; sin embargo, «*no ha llegado el tiempo* de hacer nada efectivo» ¿Cuándo llegará ese tiempo? Se preguntan los que fían el tiempo de nuestra causa a la intervención americana. Y la respuesta es obvia: si no tenemos fuerza para arrojar a los españoles, que, dicho sea acá entre nos, no la tenemos, será cuando las dos impotencias contendientes la soliciten, y entonces sacarán los yankees la castaña del fuego, y se la comerán. ¿Entiendes?

Este es mi punto de vista de la cuestión. Me pides mi opinión con franqueza y te la doy sincera y sin ambajes.

Te incluyo la colección de sellos cubanos que me pediste por conducto de Elvira.

De la emisión de la otra guerra no es fácil conseguir colección. Veré si la puedo reunir.

Memoria a todos y un abrazo de tu

Federico Pérez

P. S.—Por casa todo el mundo con fiebre y catarro.
Delegación de la República de Cuba

New York, 11 de marzo de 1898

SRA. ELVIRA CAPE
Kingston

Mi querida amiga:

Días atrás escribí a Emilio y le aconsejaba que viniera
por acá como Vd. me prometió. Kingston no es centro adecuado para su actividad y talento; aunque si las cosas siguen
en el curso que llevan, pronto estaremos en Cuba. El desastre del acorazado «Maine» ha cambiado el orden de los acon-
tecimientos. La Nación se dispone a vengar el agravio y las
Cámaras han votado un crédito de cincuenta millones de
pesos para obras de defensa y aumento de la marina, y el
Presidente, a juzgar por lo que aseguran los que tienen motivos para estar en los secretos de la diplomacia, y por lo
que dice la prensa en general, tiene listo un mensaje al
Congreso pidiendo la inmediata terminación de la guerra
bajo la base de la independencia de Cuba. Sin embargo de
todo lo que oigo y veo no salgo de mis trece, y hasta que
no lea ese mensaje, no creeré que el final está tan inmediato.
La semana entrante será sensacional y si algo extraordinario ocurre avisaremos a ustedes por cable.

Teodoro Pérez ha estado aquí esta mañana muy apenado
por una carta que Vd. le ha escrito. La verdad es que al llegar de Kingston mandó hacer los efectos de escritorio que
usted le encargó y pagó su importe (50 o 60). Quedó encargado de mandar a Vd. dichos efectos Manuel Ros. Este escribió a Vd. hoy explicando la causa de la demora. Lo que

puedo asegurar a Vd. es que la caja conteniendo los efectos estaba debajo de otras cajas en un rincón de esta oficina. Parece que hubo olvido aparte de otros inconvenientes.

Recuerdos a toda la familia.

Un abrazo para Vd. y otro para Emilio de su querido

Federico Pérez

Emilio:

Recibí tus cuatro renglones de salutación de manos del doctor Alfonso. Siento que Lacret mande una comisión tan inoportuna y sobre todo de tan seguro fracaso. No hay dinero para eso —ni para menos—.

Tuyo,

Federico

New York, 8 de abril de 1898

SR. FERNANDO FIGUEREDO
Tampa

Mi querido amigo:

Acabo de recibir su extensa carta del día 14 en justo pago a la prolongada ansiedad en que me ha tenido su silencio. Terminada la lectura de su dicha carta me fue entregado su telegrama para don Tomás que abrí porque éste está en Washington y Castillo enfermo. Le contesté en el acto: «Statement Rubens aclarado Herald, explicado delegado Washington curso sucesos favorable tengan confianza Estrada-Federico».

La declaración de Rubens parece que fue necesaria para

contrarrestar influencias perniciosas de Wall Street en la Casa Blanca. ¿Cree Vd. que Rubens hace nada que no esté de perfecto acuerdo con don Tomás y que no sea inspirado en lo que a Cuba y a la revolución conviene? Pero así somos los cubanos, no tenemos disciplina política y, aunque lo aparentamos, no tenemos tampoco respeto a la autoridad que nos representa. Con razón duda McKinley de que seamos capaces de constituir un gobierno permanente. Por fortuna los cubanos de Tampa tuvieron el buen acuerdo de consul·tar a Vd. antes de tomar una resolución. Los de aquí se desataron en denuestos contra Rubens, públicamente lo desautorizaron y, sirviendo de escabeles de mal disimuladas ambiciones y afán de agio de ciertas gentes, acordaron reunirse ayer tarde en la misma Delegación para hacer una protesta colectiva. Se pudo conjurar el conflicto que nos hubiera hecho más daño que el mismo Stament aun en el caso de que hubiera sido inoportuno. En Washington, presa de los políticos impresionables y egoistas, no causó el efecto que entre nosotros; por el contrario provocó una reunión del Comité de Relaciones Extranjeras al que asistió Gonzalo saliendo de él altamente complacido. Hoy se volverá a reunir el Comité para oír a Benjamín que fue llamado anoche, y quizás sea el Statement, tan amargamente censurado, causa de cambios a Cuba, provechosos, que más tarde serán por todos aplaudidos. Rubens con la ruda franqueza del yankee ha dicho lo que todos los cubanos sentimos y es por demás odiosa la actitud hipócrita y cobarde de los que por miedo a las circunstancias abandonan en un momento de peligro a nuestro fiel abogado. Yo estoy con él porque me ha revelado su espíritu justiciero, su convicción honrada, su patriotismo puro. Está avergonzado de ver cómo la libertad y la humanidad está en manos de los especuladores de la Bolsa, de los banqueros de Wall Street y el honor de esta gran nación rueda por el fondo de las cloacas y albañales.

Suyo aftmo.,

Federico Pérez

Delegación de la República de Cuba

New York, 6 de mayo de 1898

Mi querido Emilio:

Ayer recibí carta tuya, celebro que todos estén buenos.

Esta mañana llegó un Comisionado con correspondencia de la Habana y Pinar del Río. Emilito me escribió y me encarga que te mande —como lo hago— las adjuntas cartas.

Todavía nuestro problema está muy oscuro. La negativa del poder ejecutivo a reconocer nuestro gobierno; su táctica de rehuir toda formal conferencia con el Delegado; las gestiones que han hecho para ocupar nuestros prácticos de mar y tierra sin el previo permiso de sus jefes y otras muchas cosas que los que ven la comedia desde el patio ignoran, me hacen temer que Cuba sea una nación independiente. Bloqueaba Cuba y entretenidas las fuerzas en ocupar a Manila y en esperar la flotilla que estaba en islas de Cabo Verde, cuyo rumbo se ignora, la población pacífica de Cuba morirá de hambre; pues el gobierno se ha incautado de todas las provisiones que había en existencia para resistir el asedio. Si este estado de cosas se prolonga hasta el otoño, como parece ser el plan del gobierno americano, para no exponer sus tropas a la infección de la fiebre amarilla, será independiente el territorio pero no el pueblo cubano. Una de las razones que invocó McKinley para justificar ante el mundo la intervención armada fue la razón de humanidad ante el triste espectáculo de las víctimas del infame decreto de concentración. En la práctica estamos viendo que la intervención es peor que el decreto de Weyler, pues con el bloqueo no sólo morirán los que estaban condenados a ese fin por los estragos del hambre, sino los que empezaban a convalecer merced al auxilio que desde aquí les mandaba la caridad americana, y además todas las familias, que, aunque pobremente, podían vivir y que por falta de recursos no les queda más remedio que resignarse a correr esa suerte.

No sé si habrá llegado a manos de Antonia una carta en que la autorizaba para aprovechar la primera oportunidad que se le presentara y embarcar para Kingston contando con que tú estás ahí y la servirías de mucho para colocarse con la modestia que mi actual posición y las circunstancias que atravesamos aconsejan. Si afortunadamente se apareciere allí atiendemelas y escríbeme enseguida pues como comprenderás estoy inquieto y triste por el peligro que están corriendo los seres que más quiero.

No debería yo estar pasando estas penas, porque hace un año que preví el caso; pero qué quieres; el mundo es de los osados.

Mis recuerdos a Cactus y a todos.

Un abrazo de tu aftmo.,

Federico Pérez

Santiago de Cuba, 15 de marzo de 1915

Sr. Emilio Bacardí Moreau
La Habana

Emilio:

Te remito copia de la inscripción de la placa de Baraguá.

Yo creo que no debo decir nada, pues, como verás, lo puesto fue un Bando que indiqué a Pancho Sánchez que pusiera para cortar lo que venía sucediendo en el Arbol de la Paz, y que tú corregiste.

Dejemos las iniciativas de los legisladores para ver que dan de sí.

Por cierto que el Bando tiene defectos gramaticales. Parece que su redacción fue confiada a algún empleado del Gobierno quien lo redactó en estilo oficinesco.

El pobre Pancho estaba ya tan grave que no pudo firmarlo y lo suscribió, por orden, Carlos Duboy, su secretario, quien tampoco corrigió este particular al firmar el Bando.

Tuyo,

Federico Pérez

BANDO

General Francisco Sánchez Hechevarría, Gobernador de la Provincia de Santiago de Cuba.

Hago saber: que para evitar que sea destruido este histórico Arbol, bajo el cual el ilustre General Antonio Maceo formuló su célebre protesta contra lo pactado en Zanjón, se prohibe maltratar el tronco y las ramas del mismo.

Los infractores de este Bando se castigarán (sic) con la multa de diez pesos.

Santiago de Cuba, 15 de diciembre de 1902

P. D.,
Carlos Duboy Castillo

Nota.—Este cedulón era destruido por la intemperie con frecuencia y entonces la representación parlamentaria de Oriente, dirigida por Mariano Corona, costeó una placa de bronce en que fue grabado el Bando. Esa placa fue colocada en Baraguá el viernes 7 de diciembre de 1916, por los señores: Saturnino Lora, Pedro Hechevarría. Walfredo Consuegra, Mariano Corona, Salvador Esteva y Federico Pérez.

PARTE IV

Cartas de José A. González Lanuza a Emilio Bacardí.

CARTAS DE JOSE A. GONZALEZ LANUZA A EMILIO BACARDI

El Hacho (Ceuta), enero 13, 1897

SR. D. EMILIO BACARDÍ

Mi muy querido amigo:

Hoy ha llegado su carta a nuestro poder; y hoy mismo la contesto. Dirá Vd.: ¿qué es esa prisa? Pues en primer lugar responde a mi absoluta ociosidad: con algo, y algo agradable, tengo que ocupar mi tiempo. Después, tengo necesidad de deshacer un grave error histórico en el que Vd. ha incurrido.

La crítica histórica, tan profunda y finamente ejercitada en nuestros días, ha solido rehacer, deshacer y contrahacer hechos históricos que se tenían hasta hace poco por sólida y definitivamente establecidos; pero con la estancia en Egipto del pueblo de Israel, no se ha metido seriamente. De los monumentos faraónicos nada ha podido sacar en limpio. Ni una palabra dicen de *Mss. les juifs*. Como estos no han podido identificarse con los hycsos la crítica no ha tenido otro remedio que atenerse a las tradiciones hebráicas. Unos han dicho que son mentira; otros que son exactísima verdad. Nadie ha podido decir (por no haber cotejo posible): esto es cierto; esto no es tal, sino embuste, enredo y fábula. En este punto a la Biblia hay que tomarla, o dejarla.

Pues bien, la Biblia dice que Egipto fue el Hacho o las Chafarinas de los Hebreos: «el cautiverio de Egipto», le llama siempre a la estancia del pueblo de Dios en tierra de Gesén. No iban, pues, deportados los hebreos: *volvían de la deportación*. Usted afirma lo contrario: he aquí su primer error, el más garrafal.

Además, la escena que Vd. refiere entre Moisés y Jehová sobre el monte Nebo, no es exacta. Usted se ha confundido. El suceso es más viejo todavía, y no figura en él ni Jehová ni el Caudillo israelita. Rectificando lugares, tiempo y personajes, voy a narrar el acontecimiento.

Allá en los tiempos más remotos de la Hélade (tan remotos que los Dioses, dejando el Olimpo, venían a pasearse por la tierra, o a ella solían llegar *deportados*, literalmente deportados, por orden de los supremos poderes del Empíreo), en aquellos tiempos, repito, vivía y reinaba sobre un cantón heleno (que decir pudiéramos), allá en la Argólida, un rey que, según nos cuentan, se llamaba Anfitrión. Pláuto (el gran autor cómico romano), le ha llamado *Anfitrudo*. No discutamos sobre nombres: el primero es el más aceptado.

Anfitrión era hombre bonachón y hospitalario. Recibía a todo extranjero que llegaba a su palacio con tradicional esplendidez; tan tradicional que el buen rey griego ha dado su nombre en perenne usufructo a la posteridad, para que ésta lo aplique a todo aquel que se presta a que en su casa otros coman de gorra, y coman bien. Y no sólo tenía Anfitrión esta buena cualidad: era también hombre de gusto (que le aseguro, amigo Bacardí, que era verdaderamente delicado), escogió por esposa a una mujer hermosísima. Creo que se llamaba Alcmena. No estoy seguro; pero el nombre no hace al caso.

Alcmena, o como se llamare, era de una belleza excepcional. La fama de su hermosura se extendió por toda la Argólida, por toda la Grecia, por el mundo entero..., ¡llegó al Olimpo, al propio y mismísimo Olimpo! Allí reinaba Júpiter; y aunque generalmente el último que se entera de los chismes que corren por casa es el amo de la misma, no sucedió así en el caso actual: Júpiter (mejor dicho Zéus, que es su nombre griego, su nombre más antiguo), enseguida se enteró. ¡El Olimpo era una casa excepcional!

Zéus, o Júpiter (vamos a llamarle Júpiter, que es su nombre más corriente) era garañón, muy garañón, tremendamente garañón. De ello dió en todo tiempo pruebas muy señaladas. Tanto y tanto oyó hablar de la incomparable belleza de *Mad. Anfitrión*, que se decidió a dar un paseito por la tierra. Lió la maleta, y emprendió el viaje. Excuso decir que no se dirigía a la Argólida con buen fin.

Cuando llegó a la tierra feliz en que Anfitrión reinaba, se enteró de un detalle que le llenó de contrariedad. El buen rey, enamoradísimo de su esposa, no abandonaba el palacio, ni aún la compañía adorable de su adorabilísima mujer. Al rey se le caía la baba.

Júpiter debió rascarse la cabeza furiosamente. Puede ser que al propio tiempo y por las inmediaciones del frontal, se la rascase también Anfitrión. Pero Júpiter era listo, pillo y... además de todo eso, ¡dios! dejó la maleta en una posada de la Argólida (supongo que en Argólida habría posada) y de un salto regresó al Olimpo. Supongo que al regresar dejaría la maleta: ¿para qué iba a llevarla? Declaro, no obstante que acerca de este punto la historia, la pura y verídica historia, no contiene datos precisos, ni ha llegado a nuestras manos ningún testimonio irrefragable.

¿Qué iba a hacer Júpiter en su celeste morada? Iba a firmar un decreto, aun sin expediente gubernativo ni nada, *deportando* a ¡Anfitrión! Así lo hizo. Envió con la orden a Mercurio y el buen Anfitrión con las lágrimas en los ojos, el ánimo acongojado y el frontal lleno de inaguantable escozor, dejó su palacio, su reino, y se ausentó de la Argólida. ¡Fue uno de los primeros *deportados* de los que se conserva memoria! Luego *repitieron la suerte* con Menelao, rey de Esparta, *por mor* de Helena; y el Santo Rey David dio igual *coña* al Sr. Urías, capitán en sus ejércitos, por mor de Betsabé. ¡Es muy antigua la deportación, amigo Bacardí: es antiquísima!

Ausente Anfitrión, Júpiter volvió a la Argólida. Allí supo (segunda contrariedad) que Alcmena era un portento de fidelidad y de virtud. Este inconveniente fue más sencillamente orillado. Júpiter se había transformado ya en cisne para seducir a Leda, en lluvia de oro para conquistar a Dánae, en toro para raptar a la ninfa Europa. Considerando esta transformación como ejercicio preparatorio muy adecuado, Júpiter tomó la figura del propio ¡Anfitrión! Así *disfrazado* se presentó en palacio, dijo que los dioses le habían permitido regresar, su esposa lo creyó, se celebró la vuelta con festejos; y luego por la noche... Amigo Bacardí, respeto su pudor.

Cuando Júpiter se sintió *satisfecho* (iba a escribir *agotado*), dijo: «ahí queda eso»; y se volvió al Olimpo. (Quedaba Hércules, que nació a consecuencia de esta... mistificación). En tanto Anfitrión, el Anfitrión verdadero y auténtico, regresaba indultado. No se había pacificado su reino; pero Júpiter estaba *pacificado* ya. Por ello lo indultó.

Renuncio a pintar las escenas del regreso, que el monarca debió conjeturar muy alegres, y que resultaron tristes. Anfitrión, siguiendo su costumbre, organizó enseguida un gran banquete. Su esposa se negó a presentarse en el comedor. *¡Tête d'Anfitrión!* Al fin hubo necesidad de explicarse...

Anfitrión era persona decente; pero bonachona y resignada. Además acababa de estar deportado. Volvía presa del histerismo propio de la deportación que en aquélla época atacaba con mucha más fuerza que en nuestros días; porque hay que convenir en que un deportado de nuestros días difícilmente hubiera *asumido*, en caso análogo, la actitud de Anfitrión. Pero es el caso que el bueno del rey venía tan dispuesto a reírse de todo, de todo, de todo, que sólo preguntó: «Pero, mi querida *pequeña* (así dicen que llamaba a su esposa por *mimo*) ¿el padre de los dioses revestía... *entonces* mi misma forma, estatura, grueso, etc.? ¿Era, en fin, igual a mí en todas mis... *dimensiones*? «Oh, sí, contestó su esposa; ¿crees tú que si no...?» El rey soltó una carcajada homérica (o histérica, si a Vd. le parece mejor) y dijo: «Pues entonces, *¡man fot de la virolla!*; y vámonos al festín».

Y ahora, mi buen amigo, digo como usted: si esta carta mía ha podido proporcionarle alguna distracción, eso será para mí no menos satisfactorio que para Vd. lo habrá sido el pensar que la de usted podría distraernos.

Y de cierto que los cuentos de Vd. sobre Moisés, nos han distraído positivamente. Ya, en carta que hace días escribí a Alday, le encargaba que le dijese que Vd. escribiera. Ahora, directamente, le encargo que repita.

Consérvese bueno y *creyente*, de fe sólida y jovial, que es la fe mejor. Nosotros la tenemos, a Dios gracias. Déle a todos recuerdos y un abrazo (uno a cada uno); reciba el

testimonio de nuestro verdadero cariño y un abrazo que le
manda su aftmo.,

José A. González Lanuza

P. S.—Atienda al síntoma de la mala letra. Es el peor... para
los que reciben las cartas. ¡Cuídese!   Vale

El Hacho (Ceuta), marzo 25, 1897

Sr. D. Emilio Bacardí

Mi querido amigo:

Contesto a su carta del 14, que hace dos días recibí. A
Zayas entregué la suya y creo que hoy también le va a escribir. A estas horas ya estará en poder de Vd. mi anterior;
por la cual sabrá que, en efecto, el 12 nos desenjaularon; y
habrá podido ver también que, entre mis cuatro paredes no
he tenido el estoicismo de los espartanos (era resignado, pero
melancólico y serio) sino la misma antigua jovialidad de la
cárcel de Málaga, risueña filosofía para la que yo siempre
venía muy bien dispuesto; pero que se aumentó en gran manera con el confortante trato de usted.

Sólo he sentido los malos ratos de mi familia, en particular de mi pobre mujer al no recibir mis cartas en 37 días.
El demonio ha tenido buena puntería en este lance, porque
me lo ha proporcionado en los momentos últimos del emba-
razo de mi mujer. Felizmente el 21 del mes actual recibí un
telegrama en el que se me anunciaba que el 20 había *pasado
el Rubicón* con toda felicidad. Tengo, pues, otro Jorge (porque el nuevo es también de nuestro sexo) para sustituir al
que perdí; y que por singular casualidad ha nacido en el

mismo 20 de marzo en el que hacía dos años del nacimiento del primero. Dé la noticia a Tolón, a González, Alday, Sentenat y demás amigos, a los que dará también de mi parte muchísimos recuerdos.

Según mis últimas impresiones, es lo más probable que demos el viaje a la Habana. Lo siento más que por otra cosa por las molestias y gastos inherentes al mismo. Por lo demás, ya a todo me he acostumbrado de antemano.

Le agradezco la comparación con Bayardo con que me obsequia Vd. en una especie de clasificación de nosotros, que se contiene en una carta que ha escrito a Juan Miguel. Creo que Vd. es generoso conmigo al llamarme *chevalier sans faute;* pero me esforzaré, en esta nueva aventura en que estamos metidos, en ser *homme sans peur.* Veremos si lo logro: por ahora lo voy logrando.

Y sin más, querido amigo que repetir la frase de Moisés, de Abraham, de Anfitrión y del Director de Orquesta de Barcelona, lema con el que hemos de correr siempre nuestras aventuras, le manda un abrazo y de Vd. se despide su sincero amigo,

José A. González Lanuza

El Hacho (Ceuta), junio 11, 1897

SR. D. EMILIO BACARDÍ

Mi querido amigo:

Hace dos o tres días que llegó a nuestro poder la carta que a Zayas y a mí nos dirige en 30 de mayo. Por una que escribí a Tolón habrá visto Vd. que anteriormente le había escrito y en cuáles fechas. No me explico el extravío de tanta carta. La que Tolón me escribió en mayo 17 no la he recibido. La que Vd. me escribió dándome consejos para malcriar a mi pequeño, no ha llegado tampoco. Por cierto que esta última debiera Vd. repetírmela porque los consejos (como de Vd.) deben ser muy interesantes; y sin duda lo son más aún por razón de la materia sobre la que versan; motivos por los cuales lamento su pérdida infinito.

La desgracia del pobre González es enorme y a todos nos ha dado mucha pena. Yo la comprendo bien, pues aunque en definitiva he sido afortunado, no por eso dejo de haberme encontrado en situación semejante a la suya, y la posibilidad (siempre contable) de un funesto desenlace ha sido durante los pasados meses mi mayor preocupación. Para la familia entera ha sido sin duda una catástrofe, y en cuanto a González en particular, cualquiera que lo conozca un poco (más nosotros que hemos vivido meses en la mayor intimidad con él) lo comprenderá perfectamente. Le adjunto una carta para él que Vd. me hará el favor de entregarle.

Cuando escriba a O'Nagten dele muchos recuerdos míos. La noticia de su muerte se corrió de tal manera que mi mujer la escribió desde Atlanta, aun cuando ella misma después me la desmintió.

Desde anoche tenemos con nosotros al artrítico Dr. Montalvo. Enormemente aburrido de la cárcel de Cádiz, «desesperado de las cuatro paredes», semi-escamado acerca del traqueteadísimo indulto (ya convertido en una especie de cocimiento de caña de maloja), pidió su traslado, y el «amplio recinto del Hacho» (palabras de Cánovas) le abrigó anoche. Hoy ha bajado a Ceuta en compañía del imponderable Juan Miguel Ferrer.

Bueno es que Vd. «quiere creer» que el indulto se hará efectivo en todo este mes. Yo *querría creerlo*, pero no puedo llegar a la creencia. Me parece que esto es una de tantas músicas celestiales.

Dé a todos muchos recuerdos y reciba un abrazo de su afectísimo,

José A. González Lanuza

El Hacho (Ceuta), junio 30, 1897

Sr. D. Emilio Bacardí

Mi muy querido amigo:

Contesto a la suya de junio 17, que el lunes vino a mis manos. Le agradezco que me repita la lección para malcriar al pequeño: sospechaba el sistema, sin embargo, aunque no lo hubiera practicado, pues que mi primer hijo no llegó el pobrecito a tener ni año y medio siquiera; pero Vd. sabe que, aparte de que la cultura histórica, que nos enseña casos como el de Enrique IV y otros, nos ilustra en estas materias mucho, basta por lo general con el instinto para cosas semejantes, que con un poco, muy poco, de experiencia, llegan a la perfección del arte.

He transmitido íntegro su párrafo a mi mujer, pidiéndole acerca de su contenido su autorizada opinión. Veremos qué piensa acerca de todo ello. Quiera Dios (y no el dios Baco) que el indulto no me de tiempo de trasmitirle a Vd. las ideas que exponga a mi consorte acerca del indicado y delicado punto.

Y ahora que hablamos del indulto, le expondré a Vd. algunas ideas, por mi parte, acerca de él y de sus probabilidades. Usted dice que tiene fe en él. No me parece mal, pues que el catecismo de Ripaldi contiene esta pregunta y esta respuesta: —¿Qué cosa es fe?—. «Creer lo que no vimos». Y no me parece descaminado el que Vd. tenga esa fe en el indulto, pues que es probable que no llegue a verlo.

En cuanto a mí, por lo que a ese indulto hace, proclamo el principio experimentalista: *Nihill est intellectu quod prins non fuerit in sensu.* Cuando yo me vea indultado, me oiga indultado, me huela indultado, me *guste* indultado no interprete Vd. torcidamente la palabra *gustar*) y me palpe indultado, creeré en todo eso. Mientras tanto no creo en mi indulto; ni ¡ay! en el de Vd. tampoco.

¿Que por qué no creo en mi propio indulto? ¿A qué preguntarlo si Vd. lo sabe? En cuanto a Vd., ¡oh! Vd es un *¡oriental!*, nada *¡humilde!*, ¡item mas reincidente! ¿Quiere Vd. más motivos para un excepticismo hiper-racional?

Otras son mis *fes* o *fees* (como Vd. quiera). No son *actuales*, no son tampoco muy *remotas*. No arrancan de chiripazos como este de la magnanimidad weyleriana, sino de la fuerza de las cosas, de lo que pudiéramos llamar, catedráticamente «el determinismo universal». *Yl-y-a quelque chose qu'il faut qui soit acomplie: elle s'accomplirá. Trop?Tard? Je crois qu'elle n'arriverá pas si tard. Voilá ma foi: c'est assez, n'est ce pas?*

Usted dice, a propósito de su creencia en el indulto: «¡es tan consolador creer!»

—Sí y ¡tan desconsolador el des-ilusionarse!

Buenos de salud que es lo que importa. Procuren ustedes estarlo también, que es ahora lo importante. De casa, en este extremo, todo se vuelve buenas noticias: menos mal. Dé a su familia (aunque no la conozca ya todos nos queremos, a nosotros y a nuestras naturales *accesiones*) muchos recuerdos; y Vd. reciba un abrazo de su aftmo.,

José A. González Lanuza

New York, febrero 28, 1898

SR. EMILIO BACARDÍ

Querido e inolvidable amigo:

Una carta suya de 28 de diciembre llegó a mis manos
con retraso; pero con mucho más retraso la contesto. Comienza Vd. en ella diciéndome que desde Ceuta no tiene
ninguna mía y me pregunta ¿por qué? Pues por lo mismo
que me ha impedido contestar a esta suya: porque en Ceuta
era yo un ocioso que no hacía sino escribir cartas y aquí soy
un hombre muy ocupado que no tiene tiempo de rascarse la
nariz.

Breve resúmen de mi existencia desde mi salida del Hacho *infonda*: cuatro días en Gibraltar, siete en Madrid, vein-
tiuno en París, cinco en New York, siete en Atlanta. Vuelto
a New York me hice cargo de la Secretaría de la Delegación: apenas estuve enterado de este mecanismo, con lo
que mi trabajo se facilitaría mucho, emprendí con don Tomás un viaje de carácter *pulítico*, a Key-West y Tampa, en
el que no había espacio ni para lavarse a veces.

Aquí me tiene Vd. de regreso, saldando mis cuentas con
los amigos. Uno de los primeros a quienes pago es Vd. Ya
se hará cargo de que en esos mis pasados viajes por tierras
ignotas... para mí, no tuve tiempo sino de escribir cuatro
renglones de tiempo en tiempo a mi consorte. No he visto
apenas a Madrid, un poco sí he visto París. En cuanto a
New York, no he pisado el Parque Central siquiera, no he
visto un solo teatro. Solo conozco las calles por las que he
andado y desde el elevado he conocido la ciudad... a vista
de pájaro.

Dice Vd. bien, o por lo menos la impresión de Vd. es la misma impresión mía: las vejaciones pasadas, ¡me parecen ya tan remotas! El mismísimo Comandante Gobernador del Hacho, se me antoja un mito, un ser con el que he soñado, pero que no existe. Todos aquellos Guardias Civiles que nos amarraban con gran placer, se me ocurre contemplarlos como unos infelices, mucho más presos que yo lo estuve nunca. Dió la casualidad de que la misma pareja que a mí, a Zayas y a Adolfo nos condujo a Ceuta vino a buscar un penado y fue con nosotros el día de nuestra libertad: no pude menos de decirles: «he aquí que ya nosotros somos libres y que Vdes. siguen en prisión». Suspiraron melancólicamente. ¡Infelices!

Excuso hablarle de los sucesos últimos, porque ya por los periódicos estará Vd. enterado de ellos. Se comentan a sí mismo. El final me parece que se aproxima. Muchas cosas sucedieron en 1897 para que dejen de suceder muchas cosas en 1898. Tengo la corazonada (que estas no son patrimonio exclusivo de Martínez Campos) de que el siglo XX, ya tan próximo, no nos cojerá esclavos, ni siervos siquiera (pongo por autónomos). Pero en fin, a Vd., que tiene por propia confesión «la fe del sectario», no he de convencerlo de lo que está archi-convencido. Usted puede decir que es *de mi opinión más que yo mismo.*

Mis señas actuales son las siguientes: 113 W., 114 th St., New York (city). Aquí tiene Vd. un *flat* y varios amigos (pues incluye a la familia) a su disposición. Ahora mi dirección más fija es esta: 56, New Street, señas de la Delegación. He vivido en un *boarding* y es esta una de las cosas de que más me arrepiento.

A mi regreso encontré bien a la familia El heredero está

fuerte y vivaracho como él sólo, con todos sus dientes y
aún dos muelas. En el acto, a las dos horas de llegado,
se llevaba perfectamente conmigo. Hoy es un amigo de
la mayor intimidad. Sigo en lo posible sus consejos. Por las
noches, después de comer, me acuesto en la alfombra de la
sala y lo dejo que abuse de la confianza que le dispenso,
dispuesto siempre a dirigir a la primer visita que me sor-
prenda la ya clásica pregunta de Enrique IV al Embajador
de España. Ahora sí, no soy partidario de los *enfants terribles*, por lo cual, no lo malcrío, no le dejo cojer lo que no
debe, etc.

Adios ahora, amigo Bacardí. Pero antes de concluir permítame hacer una manifestación (como decía yo cuando
era abogado): reciba Vd. o no cartas mías, no crea jamás
que lo olvido, ni que dejo de quererle. Atribúyalo a lo que
quiera menos a eso. Crea que cuando no le escribo estoy
roñoso por no haberlo podido hacer. Y crea también que
no puede echarlo de su corazón ni de su memoria su antiguo
compañero ¡de cárcel!

José A. González Lanuza

Delegación de la República de Cuba

New York, 2 de julio de 1898

SR. EMILIO BACARDÍ

Mi querido amigo:
Ahora me tocó a mí decirle que es Vd. un hombre notable
en eso de escribir cartas después de libres, cuando tan

largas y sabrosas las escribía de preso. Nada más que 28 de
febrero le escribí, según mi Registro (porque sigo llevando
aquel Registro que inicié precisamente en la cárcel de
Málaga, encontrándome en su adorable compañía); y es el
caso que Vd. no me ha contestado, porque no es contestar
mandar una tarjeta con Despaigne y antes cuatro renglones
(en 17 de mayo) para presentarme y recomendarme a un
señor C. Bramt, que llegó a la Delegación y, no hallándome
allí en ese momento, dejó su carta y no ha vuelto más a
aparecer.

En fin, que si no me contuviera su respetable ancianidad
le diría que es Vd. un tipo; pero me contengo.

Y figurándome voy que esta carta no le llegue a Vd. en
Kingston, sino en su propio *patio*, pues que de seguro que
al llegar allá a Jamaica Vd. se habrá ido a Santiago de Cuba,
ya desde hace sendos días en poder de Shafter. Porque supongo que Vd. será de los que en el acto en que *tenga
patria*, se dirá: «¡filons... et vite!» y caerá en ella tan pronto
como le sea posible.

¡Ay, mi amigo *Cardiló*, cómo me parecen en este momento unos perfectos desgraciados todos nuestros carce-
leros de un tiempo! El Comandante Gobernador del Hacho
me luce un completo infeliz, *visto desde aquí*. Y, ¡cómo nos
la vamos cobrando! Decía hace poco un amigo en la Delegación que el consuelo y gusto de muchos cubanos era ponerse
a pensar *cómo iba a quedar España;* y en efecto, hasta
el mismísimo Dr. Montalvo (siempre artrítico) me escribe
desde Jachsonville, donde reside, y me dice que aún le duelen
ciertos sucesos del Hacho y Ceuta; pero que es para él un
bálsamo que le cicatrizará todas sus heridas el considerar
que los españoles caerán a un nivel incomparablemente más

bajo que el que ocuparon en tiempos de Carlos II *el Hechizado* (dicho así, con el mote del rey y todo).

Lo único que me tiene hoy pensativo es que Shafter (lo que no esperaba yo de su barriga) le ha metido mano a Santiago en el acto.

Casi hubiera preferido que hubiese aguardado por los refuerzos. Pero en fin, él debe saber lo que hace, aunque veo que la toma del Caney y de la primera línea de trincheras españolas les ha costado como 1.000 bajas entre muertos y heridos.

Pero como de todos modos, nunca se me ha ocurrido la duda más ligera acerca de que «D. Pelayo» será reventado donde quiera que *se rasque* con «los sobrinos del Tío Sam», estoy esperando plácidamente la reventazón, deplorando sólo los cubanos y americanos que morirán para que ello sea un hecho.

Por esta, su casa (212 W. 116 th St.) todos se encuentran bien. Aun cuando yo permanezco en New York, tengo de temporada al pequeño, a la madre y a la abuela, en West Anverne, lugar que al chiquitín va sentando perfectamente.

Salude a su familia en mi nombre, ¡ESCRIBA! y reciba un abrazo de su aftmo.,

José A. González Lanuza

Mi querido amigo: por mucho que Vd. oíga hablar de hablar de que los americanos..., que Calixto..., que la situación... Vd., entienda que yo, antiguo deportado, sigo diciendo: *Man fot de la virolla;* y la situación, desde el punto de vista del *coúp de pieds* que ha recibido España, me parece deliciosa. Despaigne hablará a Vd. de nosotros, por lo que

yo me limito a decirle que le mando un abrazo de la especie
de los *morrocotudos*. Y con saludos a la familia se despide
de usted su aftmo.,

José A. González Lanuza

El Secretario de Justicia   Habana, marzo 16, de 1899
e Instrucción Pública
   —Particular—

SR. EMILIO BACARDÍ

   Queido amigo:
   Sobre mi mesa encontraré antes de ayer una carta de
usted, de 8 del actual; pero la que me anunciaba del señor
Varela Jado no ha llegado a mis manos.
   La de Vd., brevísima, indica que una Alcaldía marea
tanto como una Secretaría. El «Mayor» de la Habana sos-
tiene que mucho más. Dios nos asista.
   Y Vdes. *construyeron* ya su partido federal, con capital
en Santa Clara. Esto último me ha gustado mucho, porque
como no pienso ni remotamente ir a vivir a Santa Clara,
ni llevar a ella a mi familia, ni separarme de ésta mucho
menos, cuanto antes pusiesen Vdes. por obra su propósito,
más antes dejaría yo este lío en que estoy metido.
   Pero permítame que le diga que en este extremo están
ustedes no a fin del siglo XIX, sino a fin del XVIII, que
fue cuando los americanos decidieron *«alejar su capital de
los grandes centros mercantiles»*. En ese tiempo la cosa era
pasable; sobre todo, *para aquel tiempo*, en que nació el
que los italianos llaman «liberalismo all'acqua di rosa», en

cuya etapa Surainee vivimos todavía en Cuba. Pero amigo alcalde, ¡con las vías de comunicación de hoy, venir con esa música del alejamiento de la capital de los grandes centros mercantiles...! ¡Y pedir al mismo tiempo que se sitúe en una ciudad con muchas y fáciles vías de comunicación...! ¡Por Dios! ¿No han oído Vdes. decir que en Washington manda Wall Street?

Vaya señor, que no seré yo quien crea que en eso de Santa Clara la cuestión es de principios. Tienen Vdes. por allá a la Habana un odio algo cómico, con ciertos ribetes bufos. Por lo demás dé Vd. aquí por repetido el cuento que Sancho hizo a la mesa de los duques. A mi no me importa que hagan capital hasta al Cotorro: el resultado siempre será el mismo. Por lo demás (me va entrando esta convicción triste) *algo* hay entre nosotros y por encima de nosotros que se ha encargado de que los intereses fundamentales de la civilización queden a salvo en este país. Esto me da, al par que esa tristeza, por lo que lleva consigo de deprimente para nuestro orgullo, una gran tranquilidad de espíritu. Podemos decir y hacer torerías: no dañaremos lo esencial de los grandes intereses sociales. Nuestras impertinencias sólo pueden influir en el color de un trozo de lienzo que, en lo alto de un palo, flote sobre nuestras fortalezas y edificios públicos. Esto después de todo, como sigamos por el camino que trillamos hoy, va a acabar por parecer a los hombres de juicio una perra abstracción metafísica; y entonces, ¿cómo evitar que se imponga a los espíritus la gran verdad que contiene el «*primun vivere, deinde philosophare*» de los latinos?

En fin, como decía con cierta unción socarrona M. Renan, «*¡que la volonté de Dieu soit faite!*» Y quede con él (Dieu) el amigo alcalde, que siempre lo querrá mucho su amigo de corazón el Secretario.

Recuerdos a la familia y los amigos y un abrazo de su afectísimo,

José A. González Lanuza

La Habana, mayo 23, 1900

SR. EMILIO BACARDÍ

Mi querido amigo:

Tengo a la vista su carta del 17. Voy a ser justo y a invitarlo a Vd. a la justicia: reconozco (y le pido que también lo reconozca, que nosotros los occidentales somos los únicos seres capaces de rivalizar con Vdes. los orientales en el arte difícil de aprovechar cuanta oportunidad se nos presenta para competir, unidos, con nuestros primos de centro y sur América, en el arte difícil del *self-control*. Ahora, que por aquí las matamos más callando; pero en el fondo...

Sí, mi querido amigo, aún nos queda en esta tierra la «libertad extranjera» que Vd. dice. Libertad e Independencia no son sinónimos. Méjico es un pueblo independiente, pero no es un pueblo libre. Yo prefiero la libertad... y la civilización. Estos son y pueden ser ideales políticos con finalidad propia. Los otros son ideales que ponen los medios por encima de los fines. Independencia, Autonomía, Asimilación, Anexión, Protectorado, son ensayos, procedimientos, maneras, *medios* de conseguir Libertad, Cultura, Bienestar, Prosperidad, en el amplio sentido de la palabra: Civilización. Estos son los bienes definitivos y sustanciales, los *fines*. Yo estoy por ellos.

Mi programa como revolucionario era éste: fuera España, lo primero; y después *algo* que asegurara a mi patria todos esos *fines* y con ellos la mayor dosis de justicia que sea realizable en este mundo que dicen sub-lunar. Yo me mantengo estríctamente fiel a mi programa. De los *medios* escogitables para lograr los tales *fines,* mi experiencia me dice que la *inmediata y absoluta,* como por aquí la llamamos, no es el más seguro. He formado, pues, *mi* programa político, que a todo el mundo le digo claro y sin nubes; y que me ha impedido suscribir ningún otro programa de los existentes.

Hélo aquí: *Primero:* organización de la intervención (que va a durar y debe durar) en forma de un gobierno civil, análogo al dado a Puerto Rico y con carácter declaradamente interino. *Segundo:* Constitución de la República bajo la base de un Protectorado que, limitando un tanto nuestra soberanía, garantice el orden y la estabilidad social. Lo creo el más cubano de los ideales *nacionales* y *posibles.*

Y se lo cuento a Vd. lisa y llanamente, sin que me importe poco ni mucho que por allí se sepa y que se me excomulgue. Desde que el Obispo de la Habana, años hace, me lanzó dos excomuniones mayores *Iatae Sententiae* con aplicación de la Bula «Apostólica Soedis», me he habituado a la excomunión. A esto me ayuda muy eficazmente el que haya llegado a *prendre en grippe* al cabo de San Antonio, a la Punta de Maisí y a todo lo que está entre ambos.

Conque ya ve Vd.... Usted ha sido Alcalde y yo Secretario de Justicia... e Instrucción Pública! Los dos tenemos forzosamente que haber llegado al punto de saturación.

Por lo demás las elecciones municipales se acercan. Hasta

ahora tenía la sospecha, ahora tengo la certidumbre, de que
la mayoría de los cargos públicos de elección popular caerán
en poder de sinvergüenzas.

Y otro abrazo en «Patria y Libertad» de su antiguo compañero del «Málaga Cottage».

José A. González Lanuza

Habana, mayo 9 de 1900

SR. EMILIO BACARDÍ

Mi querido amigo:

He leído en los periódicos de esta tarde el acontecimiento
último que ha amenizado la existencia, relativamente monótona, que, sin ese lance y otros tales, se llevarían Vdes. en
esa ciudad de Santiago. No he podido menos de coger, no la
pluma, pues para tal vulgaridad resulto ya muy civilizado,
sino la máquina de escribir, y enderezar a Vd., como por
la presente le enderezo, una calurosa felicitación.

En este momento crítico y solemne de nuestra vida política, es siempre consolador que podamos, señalando a
Oriente, región de donde siempre nos ha venido la luz,
decir: he aquí como los cubanos damos *gallardas* mues-
tras de nuestra ya indiscutible capacidad para el gobierno
propio. Venga, pués, cuanto antes *aquello*, con los impres-
cindibles caracteres de «inmediata y absoluta».

Y reciba un abrazo estrecho y entusiasta que le envía,
en Patria y Libertad, su aftmo.,

José A. González Lanuza

La Habana, 1 de febrero de 1905

Cooperativa General de Infundios
   —Secretaría—

SR. EMILIO BACARDÍ

Distinguido correligionario:

Su comunicación de fecha 26 de enero se ha recibido en esta Secretaría. Dada cuenta de la misma en Junta Directiva, esta Junta ha acordado lo siguiente:

1.º   Que se advierta a Vd. que está en el más craso de los errores (error, por lo demás muy oriental), al suponer que los miembros de esta corporación viven en la «holganza», la «vagabundería» y demás incongruentes condiciones de vida que Vd. les atribuye, confundiendo lastimosamente los términos y no echando de ver que son sus méritos de Vd., esclarecidos y acumulados, los que han atraído nuestra atención, irremisiblemente, hacia su interesante y cospícua personalidad, de un extremo a otro de la República.

2.º   Que en vista de la galana prueba que da Vd. de sus excepcionales condiciones, insistiendo en la matraca oriental de que todos los que por aquí vivimos somos «mandones», «centralizadores», «sanguijuelas», etcétera; verdadero infundio de extraordinario carácter, monótona repitición y sin igual machaconería; queda Vd. autorizado para organizar en Santiago de Cuba el Comité local de esta Sociedad, del cual, desde luego, se le nombra Presidente, y

3.º Que se le dirija el ruego de que, en lo sucesivo, cuando se comunique con este centro, haga escribir sus comunicaciones con una máquina, en vista del deplorable e *infúndico* carácter que, cada día más marcadamente, tiene su letra.

Todo lo cual me honro en comunicarle, en cumplimiento de lo acordado, rogándole informe a la mayor brevedad acerca de la aludida organización del expresado Comité local.

De Vd. atentamente,

José A. González Lanuza
Secretario perpetuo

Habana, octubre 2 de 1916

SR. EMILIO BACARDÍ
Santiago de Cuba

Mi querido amigo:

Me han enviado en calidad de devolución, y tengo, en efecto, que devolverlo, un documento interesantísimo: un señor que se llama Adeodato Carvajal, y que se titula Coronel del Ejército Libertador, residente de Santiago de Cuba, ha impreso una circular adornada con su retrato, que dirige a diversas personas en recomendación de su propia candidatura. Es un documento sumamente interesante para mi por las ideas que contienen y por la forma en que esas ideas se expresan. Lo necesito para mi archivo, y como lo creo a Vd. capaz de comprender una necesidad de esta índole, le ruego que me busque un ejemplar en Santiago de Cuba y me lo mande.

Como Vd. es uno de los miembros de la Cooperativa General de Infundios, será éste un mérito que adquiera con los asociados, porque más que en mi archivo particular en el archivo oficial de ella se entenderá incluido el documento a que me refiero.

Aprovecho esta oportunidad para significarle que acabamos de hacer una adquisición importante: toda la Sala de lo Civil de la Audiencia de la Habana ha sido admitida entre los socios de número, por haber dictado recientemente una sentencia revocando un acuerdo de la Junta Central Electoral, y ordenando que se vuelvan a incluir en el censo a los Sres. José Jerez Varona y Santiago Cancio Bello, cuyas muertes son en Cuba cosa tan pública y notoria como el fallecimiento de Napoleón I en Santa Elena, o el de Washington o el de Lincoln.

Suyo aftmo.,

José A. González Lanuza

Habana, 16 de octubre 1916

SR. EMILIO BACARDÍ
Santiago de Cuba

Mi querido amigo:

Recibí su postal del 12. Gracias por ella.

No es exacto que lo que yo le encargaba no se halle impreso: yo tuve un ejemplar impreso en mis mismas manos

cuando le escribí mi anterior. Me lo había enviado nada menos que el Sr. Secretario de Gobernación, director de la campaña electoral; pero parecía estimarlo tanto, que, al man-
dármelo, me pedía que se lo devolviera.

Suyo afmo.,

José A. González Lanuza

Indice